S0-AAF-569

Enseñando a expresar

la ira

¿Es una emoción positiva en la evolución de nuestros hijos?

María del Pilar Álvarez Sandonís

Enseñando a expresar la ira

¿Es una emoción positiva en la evolución de nuestros hijos?

EDICIONES PIRÁMIDE

COLECCIÓN «GUÍAS PARA PADRES Y MADRES»

Director:
Francisco Xavier Méndez
Catedrático de Tratamiento Psicológico Infantil
de la Universidad de Murcia

Diseño de cubierta: Gerardo Domínguez

Juan Ignacio Luca de Tena, 15. 28027 Madrid
Teléfono: 91 393 89 89
www.edicionespiramide.es
Depósito legal: M. 16.573-2010
ISBN: 978-84-368-2375-2
Printed in Spain
Impreso en Lavel, S. A.
Polígono Industrial Los Llanos. Gran Canaria, 12
Humanes de Madrid (Madrid)

Dedico este libro a todos los niños que me han enseñado que las etiquetas «agresivos», «malos», «pegones», etc., las ponemos los adultos, con muy mal criterio, porque condicionan la forma en que el mundo los percibe, los vive y los trata.

Índice

1 Introducción

Hace ya veinte años que comencé a trabajar con niños y familias con problemas. A pesar de que durante todo este tiempo hayan cambiado tanto la sociedad, los colegios, los parques, la tecnología y un sinfín de estructuras, no nos damos cuenta de que los niños siguen manteniendo muchas características que, en ocasiones, y tal y como os indicaré más adelante, son incompatibles con los objetivos que los adultos y la sociedad en general nos marcamos con respecto a los niños.

Muchos padres me preguntan por qué es tan difícil educar, cuando es algo que se viene haciendo desde siempre, y hasta ahora los resultados eran bastante mejores que los nuestros. Creo que para responder a esta pregunta necesitaríamos un libro entero; esa no es mi pretensión, pero sí considero muy importante que tengamos en cuenta que los cambios tan vertiginosos que se producen a nuestro alrededor todos los días implican que los padres tengamos que estar constantemente reajustándonos, modificando pensamientos y actuaciones. Recuerdo cuando era adolescente y le dije a mi abuela que no entendía nada y que debía adaptarse a los nuevos tiempos, y ella me contestó: «Demasiadas cosas entiendo para lo poco que me han enseñado y los cambios que he vivido. Cuando yo era pequeña no había teléfono, y ahora vais por la calle con uno. En mis tiempos oíamos la radio y ahora tenéis muchos canales diferentes de televisión y veis películas y no sé cuántas cosas más; ciertamente era todo mucho más fácil». Creo que esto es realmente una realidad: los padres de antes se tenían que preocupar de educar a sus hijos siguiendo unos criterios básicos que a ellos les habían enseñado, y que les servía para preparar a sus hijos para una vida autónoma en un entorno relativamente fácil, donde primaba la actividad, el juego, la comunicación, las relaciones y el compañerismo, y donde el aprendizaje se obtenía sobre todo en la escuela. El mundo era más previsible y menos peligroso, por lo que los niños tenían mucha más libertad y podían ser más creativos, lo que a su vez favorecía la expresión emocional positiva al no sentirse limitados.

Además, la psicología y la pedagogía han avanzado tanto que nos indican a los padres qué tenemos que hacer y cómo lo debemos hacer, rechazando técnicas que se venían utilizando durante siglos, explicándonos que no se deben emplear porque producen daños en el ser humano. No obstante, en muchos casos no hemos sabido sustituir eficazmente los métodos educativos, llegando a una total ausencia de criterios para educar, que en algunos casos llevan a las familias a la deriva en la dura tarea de ayudar en el crecimiento y maduración de sus hijos. Cada vez con más frecuencia me comentan los padres que no saben qué hacer porque nada les sirve, y como además ahora no se puede regañar ni pegar a los niños se ven sin armas ni estrategias para hacer que les respeten, olvidando casi siempre que el castigo y el azote generan miedo y resentimiento y no respeto, que es en lo que se deben basar las relaciones humanas. De este modo, hemos traspasado la autoridad del padre castigador, hacia el hijo que pide y todo se le concede. Estamos en un mundo en el que los niños ocupan un gran espacio y en el que se les da un poder que no deben tener, ya que el niño en evolución necesita una guía que le posibilite crecer con seguridad, teniendo una referencia clara y honesta que le permita fijarse en cómo debe actuar, y un entorno estable que le ayude a organizarse.

Por supuesto, es muy importante proteger y cuidar a los niños, pero no hay que confundir este aspecto con darles todo lo que desean, encubrir sus malas acciones dejándolas pasar por alto (aunque ello implique desautorizar a otro adulto o amonestar a otro niño), justificar sus comportamientos o no limitar en nada su conducta, ya que todos estos aspectos están generando en nuestros niños un nivel cada vez más bajo de tolerancia a la frustración, donde el *no* no tiene cabida y no se sabe gestionar la emoción, provocando que los niños utilicen cualquier conducta para conseguir lo que desean, así como que el esfuerzo y la dedicación a las tareas sea cada vez menor, porque chocan con lo realmente placentero, y por tanto tienden a evitarlo.

Creo que en la actualidad hay muchos padres preocupados por la correcta educación de sus hijos y que intentan hacerlo bien, muchas veces sin conseguirlo porque no tienen las herramientas adecuadas, ya que para ser padre en la actualidad hay que tener una gran capacidad de reacción que permita hacer frente no sólo a los cambios que van teniendo sus hijos, sino a las nuevas amenazas que surgen día a día y que tienen un gran poder sobre los niños, como son los medios de comunicación o internet, que les dan infinitas posibilidades de información que en muchos casos no son capaces de gestionar eficazmente y que les llevan a introducirse en situaciones a veces altamente problemáticas.

Vivimos en una época que se encuentra en constante cambio, pues los valores y conocimientos se modifican casi a diario. Estos cambios impiden que tengamos referentes estables, que nos llevan a dudar y cuestionarnos constantemente lo idóneo de lo que estamos haciendo, ya que un día leemos en la revista de niños que los bebés que no llevan chupete son más inteligentes e independientes, y transcurridos varios meses leemos un artículo que nos dice justamente lo contrario. Además, los padres actuales debemos estar constantemente enfrentándonos a situaciones nuevas, que nos demandan tomar decisiones que a veces ni siquiera hemos podido reflexionar o madurar. Por esto nos es muy difícil a veces poder acudir a nuestros padres o mayores para consultarles sobre cómo actuar, ya que hay muchas problemáticas actuales que, al ser tan nuevas, tienen difícil respuesta hasta para los expertos. De ahí que los padres de ahora debamos estar constantemente reajustando nuestras creencias o actuaciones, flexibilizando y generando nuevas opciones para dar una respuesta eficaz a las situaciones en las que se ven inmersos nuestros hijos, sin olvidar nuestra función como padres.

Estos cambios constantes y la aparición de nuevos peligros producen en ocasiones gran ansiedad en los padres. Esto es lo que nos lleva a preguntar, a investigar, a leer y a intentar aprender cómo hacerlo bien. De esta necesidad surgieron en mi centro, y en las escuelas infantiles en las que trabajaba, las escuelas de padres, como espacios de reflexión e intercambio de experiencias, y donde mi tarea es la de asesorar a padres y educadores sobre diferentes temas que les preocupan. Hace ya varios años, una de las madres que asistían a una escuela sobre la expresión emocional de la ira, y que es pediatra en atención primaria, me preguntó por qué no publicaba todo lo que les había enseñado, ya que era altamente práctico y enriquecedor y no se parecía a lo que ella había leído, ya que se basaba en la experiencia cotidiana, lo cual lo hacía más fácil y cercano. Esto se debe a que, si bien es cierto que soy psicóloga, también soy madre de un niño y una niña con características individuales que les hacen muy diferentes, lo que les lleva a comportarse de diferente forma. Realmente ellos han sido mis grandes maestros, ya que me han ayudado a vivir en primera persona situaciones que me contaban los padres a los que asesoraba y que me hacían vivir el problema desde otra perspectiva. Como dice el refrán: «una cosa es predicar y otra dar trigo».

He de reconocer que la tarea de educar a mis hijos me resulta tan complicada como al resto de padres, ya que a pesar de tener una gran base teórica y experiencia práctica con los niños de otras familias, la realidad cuando te enfrentas a tus hijos es muy diferente, ya que en esos momentos eres mamá por encima de todo, y las emociones que generan sus comportamientos hace que en ocasiones se pierda la perspectiva, como os contaré más adelante, ya que una cosa es lo que los profesionales decimos y explicamos sobre refuerzos o castigos, y otra muy distinta es vivir que tu hijo tenga una rabieta o te pegue en el supermercado delante de los demás. Esta emoción es la que va a condicionar tu actuación, y si no somos capaces de aislarnos de la misma nos convertimos en parte del problema en lugar de en parte de la solución. En el libro he intentado contemplar este aspecto, que muchas veces se obvia pero que es fundamental para relacionarnos eficazmente con nuestros hijos y responder a sus necesidades.

Por otro lado, también pretendo con este libro desmitificar la agresividad en la infancia, y que los padres toméis conciencia de que la misma es una expresión emocional inadecuada de la ira. Ésta es una emoción inherente al ser humano, que le permite y ayuda a crecer y madurar y sin la cual el hombre no sería hombre; lo malo no es sentir ira, sino manifestarla a través de comportamientos agresivos o violentos, cuando existen otras formas de expresión más adaptativas y eficaces. También me gustaría que no tomarais este libro como un manual para enseñar a los niños, sino que entendáis el papel tan importante que tenemos los padres en las manifestaciones de la ira, y cómo debemos reflexionar sobre nosotros mismos y nuestros comportamientos para detectar y reconocer que podemos modificar aspectos en nosotros que favorezcan una adecuada respuesta emocional en los niños.

Por último, deciros que este libro está hecho con mucha ilusión y cariño y que nace de la realidad cotidiana de una madre que además es psicóloga, lo cual le ha posibilitado integrar conocimientos y teorías con la vida cotidiana para establecer una guía en su labor educativa cuando sus hijos presentan agresividad. En el libro vais a ver que se combina la teoría con la práctica. Es fundamental tener claros aspectos como la evolución de la agresividad para conocer cómo se produce en los niños, factor que os va a dar seguridad cuando aparezcan determinados tipos de comportamientos, ya que muchas veces el miedo y la inseguridad nos generan ira y viceversa.

Espero que el libro os guste, y sobre todo que os sirva de ayuda. Muchas gracias.

2 Las emociones

Desde que los niños nacen, los padres nos preocupamos de su bienestar, de que coman bien, estén limpios, tengan cariño...; pero a medida que crecen, y esas necesidades las vemos cubiertas, vamos fijándonos en otras cosas como que se vistan solos, sean independientes, tengan amigos, estudien... Pero de todos los ámbitos del desarrollo de los niños solemos olvidar el más importante: **sus emociones**.

Como madre y psicóloga especializada en infancia, considero que en la educación de los niños ponemos demasiado interés a veces en formalismos sociales, que nos abocan a reproducir comportamientos de nuestros padres, y que a su vez nos llevan a olvidar lo realmente importante, que es que nuestros hijos se desarrollen de una manera integral para que en un futuro sean personas autónomas, independientes y felices.

Es innegable que las emociones cumplen diferentes funciones en el ser humano, pero quizá la fundamental es la de que el niño se desarrolle hasta llegar a ser un adulto armónico y feliz.

No obstante, cuando las emociones no son expresadas y/o encauzadas correctamente, dan lugar a una gran variedad de problemas personales y sociales. De hecho, la no expresión y autorregulación adecuada de las emociones se está convirtiendo en uno de los mayores problemas de las sociedades desarrolladas, ya que cuando la represión emocional se mantiene en el tiempo puede modificar o bloquear las funciones del ser humano, obstaculizando la interacción equilibrada consigo mismo y con los demás. Aparecen así la tristeza extrema y no elaborada, que se manifiesta en la depresión, y la ira desbordada y no canalizada, que se expresa a través de la violencia.

La mayoría de investigadores afirman que existen un conjunto de emociones básicas: ira, miedo, tristeza y alegría, sobre las cuales se asientan las demás, que surgen de la combinación de las anteriores. No obstante, hay que indicar que, aunque esto es cierto, cada emoción tiene una entidad propia que la define como tal.

Hay emociones, como el miedo o la ira, que compartimos con otras especies; no obstante, lo que hace al hombre diferente es su capacidad de reconocerlas y reflexionar sobre ellas, para mejorar su expresión y autorregulación. De ahí la importancia que tiene el enseñar a los niños a comprender y comunicar sus emociones, experimentándolas y sintiéndose a gusto con ellas.

Según Bridges: «*La emoción es la reacción particular de un individuo a una estimulación súbita, intensa o de extrema relevancia*».

Por tanto, las emociones se sienten de manera diferente dependiendo del individuo y de la situación en la que éste se encuentra. Lo que es innegable es que las emociones son suscitadas por la percepción de una situación y que se acompañan de cambios fisiológicos: sudor, rubor, estremecimiento, etc., que son los que definen el sentir de la emoción. De este modo, dentro de la emoción podemos distinguir tres componentes (cognitivo, fisiológico y motor), que son los que vamos a tener que observar en nuestro trabajo con los niños:

— El ***componente cognitivo*** percibe, evalúa, anticipa y etiqueta situaciones, afectos, personas, etc.
— El ***componente fisiológico*** implica los cambios orgánicos que se producen en nuestro cuerpo cuando se produce la emoción: sudor, rubor, taquicardia...
— El ***componente motor*** es la respuesta que da el niño ante la emoción suscitada: correr, llorar, reír, pegar...

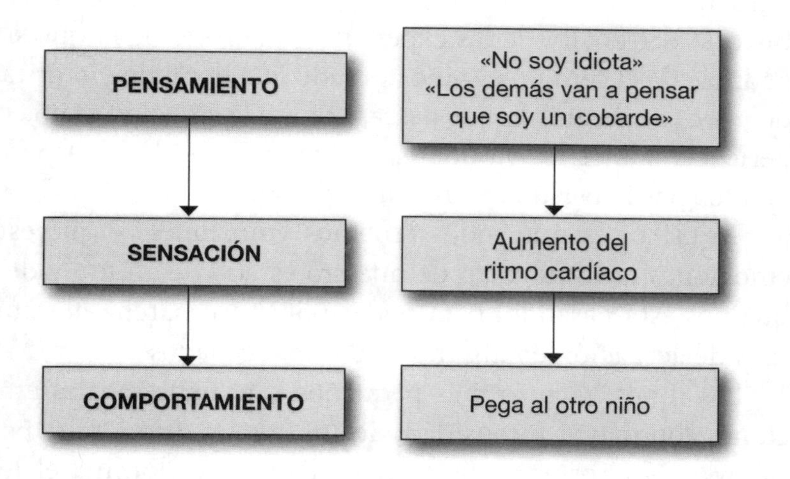

Este triple sistema que os presento, y que a priori puede no parecer importante, es crucial en el trabajo diario con los niños y las familias, ya que les ayuda sobre todo a reflexionar y tomar conciencia de que el comportamiento, es decir, lo que vemos y observamos, se produce como consecuencia de otros aspectos que subyacen al mismo, y que si no son modificados difícilmente podremos conseguir que se produzca el cambio en los niños.

Además, tenemos que tener presente que, en el caso de los niños, las emociones no se conforman de igual manera que en los adultos, ya que el desarrollo cognitivo, personal y social es menor que en ellos, y además sus experiencias y vivencias son más limitadas, por lo que la expresión emocional suele ser más natural y espontánea; cuanto más pequeño es el niño, menos habrá sido reprimida culturalmente su expresión emocional. Cuando un niño de doce meses se enfrenta por primera vez al deseo de alcanzar un camión al que no llega grita, llora o patalea. Estas conductas que observamos son involuntarias, y responden a un estado emocional que denominamos ira y que se deriva de un estado de frustración. No obstante, las respuestas emocionales son mucho más complejas que un mero comportamiento involuntario, puesto que también dependen de la historia personal y de las experiencias del sujeto, ya que si el padre le da el camión el niño aprende que llorando y/o gritando puede conseguir lo que desea. Por eso la emoción es una experiencia subjetiva, ya que va a formar parte de los aspectos vividos por la persona a nivel individual.

Lo cierto es que todos tenemos emociones, y que estas emociones nos informan de nuestro estado de ánimo y de lo que nos está pasando, para poder poner en marcha mecanismos de actuación en algunos casos inadecuados.

Los niños, cuanto más pequeños son, expresan las emociones con mayor intensidad; de ahí que les duren muy poco tiempo. No obstante, hasta que el niño no domina el lenguaje no puede traducir sus emociones en palabras. Es decir, un niño sin lenguaje que está aburrido y no desea estar sentado llora y tira cosas para expresar su malestar. Cuando este niño presenta ira hacia esta situación pero domina el lenguaje es capaz de decir: *«me estoy aburriendo, vámonos»*. De hecho, aprendemos a asociar las emociones con las palabras que las describen, así como con los signos fisiológicos que las representan (rubor, sudor, etc.) a través de la experiencia.

Sin embargo, las emociones tienen que ser conducidas y se tienen que expresar de una manera adaptativa, ya que un niño que mantiene las rabietas a los seis años es un niño con serias dificultades para encauzar su ira de la forma adecuada, y un niño que no acude a un cumpleaños porque tiene miedo de que no jueguen con él está estableciendo mecanismos de evitación que le están impidiendo divertirse y relacionarse. Por eso los padres y educadores tenemos que enseñar a los niños a expresar y canalizar sus emociones de una forma constructiva y a manifestarlas de la misma manera, ya que si bien es cierto que la capacidad para hablar sobre las emociones se sustenta en el cerebro, el hecho de poder expresarlas correctamente va a depender en gran medida del entorno en el que se desarrolle el niño, y de cómo se le fomente o reprima la expresión emocional. De hecho, hasta hace unos pocos años, y aún hoy, escuchamos frases como «los niños no lloran» o «no es propio de una señorita enfadarse así».

Por este motivo, es necesario que los padres nos preparemos e informemos adecuadamente para poder ayudar a los niños, trabajando con ellos fundamentalmente cuatro emociones básicas: la **ira**, el **miedo**, la **tristeza** y la **alegría**. Está claro que todos podemos identificar muchas más emociones, como por ejemplo los celos, pero no hay que olvidar que los celos surgen de la combinación del miedo a perder al ser amado y de la ira porque pueda querer más a otra persona.

Este trabajo es muy complicado, pero es necesario que se realice correctamente, ya que es fundamental que los niños aprendan a identificar, sentir, autorregular y expresar adecuadamente la emoción, para desarrollar unas relaciones intra e interpersonales satisfactorias.

En palabras de Gardner, existirían dos tipos de inteligencia relacionada con las emociones: ***inteligencia intrapersonal***, que es la capacidad de conocerse, controlarse y motivarse a sí mismo, y la ***inteligencia interpersonal***, que es la capacidad de ponerse empáticamente en el lugar de otros y relacionarse con ellos. De hecho, muchos de nosotros somos capaces de manejar ambas con personas externas a nuestra familia, pero no así con nuestros hijos. Por eso es frecuente celebrar con los compañeros de trabajo la alegría que nos produce un trabajo bien hecho y bien valorado, y no hacerlo con nuestra familia. También es habitual no responder a nuestro jefe ante una actuación no adecuada del mismo, y sí responder con agresividad a nuestros hijos cuando no nos dejan escuchar la televisión o tiran el agua. Es importante incidir en este aspecto, ya que la familia es el entorno en el que nos mostramos tal y como somos, y donde manifestamos nuestras emociones abiertamente. Es por tanto ahí donde los padres debemos saber armonizar dichas emociones y expresarlas correctamente, haciendo sobre todo uso de la inteligencia interpersonal, poniéndonos en el lugar de nuestros hijos y/o pareja antes de tener una manifestación emocional desproporcionada o poco adaptativa.

Un punto fundamental sobre el que tenemos que reflexionar es el de para qué nos sirven las emociones, ya que si somos capaces de descubrir su función en nuestra vida y en la de los demás, lo último que se nos va a ocurrir es reprimirlas o eliminarlas.

La respuesta a esta pregunta es altamente complicada, pero casi todos los estudiosos sobre el tema coinciden en afirmar que la emoción es un sistema primario de comunicación, a través de procesos expresivos, siendo el más elemental la expresión facial. Por eso, en la expresión de emociones no sólo debemos tener en cuenta lo que los niños comunican verbalmente, ya que la comunicación no verbal (la postura, el tono, la expresión facial o corporal, etc.) representa el 93 por 100 de la comunicación emocional, siendo por tanto sólo el 7 por 100 el que se expresa a través de las palabras, según un estudio realizado por Mehrabian. De este modo, los padres somos capaces de diferenciar desde muy pronto si el bebé llora porque tiene miedo, o si este llanto cuando está acompañado de una cara roja significa ira, o cómo cuando está triste el tono y las lágrimas son diferentes. También sabemos si nuestro hijo ha tenido un mal día en el colegio sólo con observar su postura, su velocidad al andar o cómo lleva la cartera. De ahí la importancia de leer en nuestros hijos su lenguaje no verbal, lo cual no es difícil ya que existe una universalidad de los signos no verbales de la emoción.

Volviendo al porqué de las emociones, muchos autores las dividen en dos grandes grupos: las positivas, que implican el acercamiento hacia lo que las elicita, y las negativas, que suponen un alejamiento del factor que las genera. Creo que la connotación positiva o negativa se debe tomar no en el sentido de cualificación (buena o mala), sino en el de dirigir o evitar, ya que tengo la firme creencia de que todas las emociones son buenas en el ser humano porque nos ayudan a sobrevivir, nos permiten expresarnos y nos facilitan el mantener el equilibrio emocional. De hecho, la ira es necesaria para avanzar; lo malo es si utilizamos la agresividad o la violencia para conseguir nuestro objetivo. De igual modo, llorar y estar triste cuando fallece un familiar es positivo porque nos mitiga el dolor y ayuda a superar la pérdida. Por el contrario, si reprimimos la emoción es muy difícil realizar el duelo correctamente.

FUNCION DE LAS EMOCIONES
La ira nos mantiene dueños de nosotros mismos, nos defiende de los peligros, y nos ayuda a superarnos y a conseguir nuestros objetivos.
El miedo nos avisa de que existe un peligro y nos posibilita reaccionar ante él para evitarlo.
La tristeza mitiga el dolor.

Es fundamental abordar cuanto antes las emociones de los niños, ya que si éstas se reprimen o se desvían de su objetivo pueden producir desajustes personales, que condicionarán una adecuada adaptación del niño a su entorno personal, social y familiar. Para que un niño aprenda adecuadamente a utilizar sus emociones y a disfrutar de ellas debemos ayudarle a saber identificar los comportamientos que generan y valorarlos como lo que son: expresión de sus emociones. Cuando observemos que no lo están haciendo bien debemos ayudarles a solucionar sus dificultades, ya que emociones como la ansiedad o la ira les desajustan a nivel personal. En el primer caso, porque, si bien la ansiedad es una respuesta adaptativa que surge ante los eventos novedosos o peligrosos, la respuesta fisiológica generada en estos casos es fuerte, y los niños, al notar que corporalmente se sonrojan o les late muy fuerte el corazón, a veces se asustan y no saben qué les pasa. En el caso de la ira es frecuente que los niños se sientan muy mal si agreden, porque saben que su comportamiento no es correcto y temen el castigo o la pérdida del cariño paterno. Debido a esto es importante atender a los niños, ya que si les posibilitamos que expresen sus sentimientos les estamos ayudando a aceptar sus emociones y a desarrollar un mejor aprendizaje en la canalización de éstas.

Otro aspecto importante que debemos considerar, dentro de las emociones, es su temporalidad. Cuando un niño tiende a preocuparse siempre por todo lo que puede pasarle a él o a sus padres, y esto condiciona su modo de estar en el entorno, se habla de «rasgo» (el niño es miedoso). Por el contrario, cuando un niño se preocupa por el examen que va a hacer hoy, y la duración de esa preocupación es transitoria, la denominaríamos «estado» (el niño tiene miedo o está nervioso). Esta temporalidad va a determinar en muchos casos la adaptabilidad del individuo al entorno, ya que a los niños que siempre resuelven sus conflictos pegando les vamos a llamar «agresivos», y las expectativas que vamos a tener con respecto a ellos van a ser siempre negativas. Esto conlleva en muchos casos la consolidación de circuitos de retroalimentación, en los que el niño pega para conseguir sus objetivos y es castigado por ello, pero al no enseñarle otro tipo de estrategia o actuación consolidamos su conducta y cerramos la posibilidad de que cambie su forma de afrontamiento por otra que le posibilite una mayor adaptación al medio.

La mayoría de los autores coinciden en indicar que el desarrollo emocional de los niños comienza en el nacimiento y se completa hacia los seis o siete años. Pero, ¿quiere esto decir por tanto que no podemos hacer nada a partir de esta edad? Por supuesto que no.

El trabajo que podemos hacer los padres con nuestros hijos desde que son pequeños no debe ser el de controlar o reprimir emociones como la ira o la tristeza, sino enseñar a nuestros hijos a canalizarlas y expresarlas de manera adaptativa, ya que un adecuado desarrollo emocional, donde prevalezcan emociones como la alegría, el amor, la empatía, etc., produce un estado de bienestar y armonía del individuo con él mismo y con el medio que le rodea.

No obstante, y llegados a este punto, hay que reflexionar sobre un factor fundamental: para ayudar a nuestros hijos a identificar y expresar sus emociones adecuadamente, primero debemos observar nuestros comportamientos y actitudes hacia las mismas. En mi trabajo diario con padres casi siempre empiezo el trabajo emocional por ellos, y sólo cuando toman conciencia de qué emociones les generan los comportamientos de sus hijos, y de que los mismos dependen mucho de su nivel de estrés y de sus creencias, sólo entonces empiezo a enseñarles a abordar las conductas de los niños.

Hay padres que no toleran que su hijo de dos-tres años tenga una rabieta (expresión normal en esta edad), y le castigan, gritan o pegan. En estos casos, los adultos por un lado no tenemos en cuenta el nivel evolutivo del niño, y por otro actuamos como modelos. Lo que al niño le estamos enseñando con respecto a la ira es que cuando nosotros nos enfadamos manifestamos los mismos comportamientos que intentamos eliminar en él. Si en esta situación en la que nosotros estamos teniendo también una emoción nos centramos sólo en eliminar la conducta del niño y no analizamos nuestros sentimientos y actuaciones, difícilmente podremos transmitir a nuestros hijos una adecuada expresión emocional.

Por ese motivo, es fundamental que los padres aprendamos a tener una escucha activa, para saber identificar las emociones de nuestros hijos, y poder así contenerlas y encauzarlas correctamente.

La escucha activa implica escuchar desde el punto de vista emocional, centrándonos completamente en la otra persona sin interponer opiniones o sentimientos en la comunicación. Sólo así podremos realizar la contención emocional de nuestros hijos para que aprendan a vivenciar y expresar adecuadamente las emociones, y sepan aceptar las mismas sintiéndose a gusto con ellas.

ACTIVIDADES Y JUEGOS PARA FOMENTAR LA IDENTIFICACIÓN DE EMOCIONES

El dado de las emociones:

Materiales: Confeccionar un dado en el que en cada cara quede dibujada una expresión emocional.

Juego:
Tirar el dado, y según la imagen que salga:

1. Decir qué emoción es (ayuda a desarrollar el lenguaje emocional).
2. Decir cuándo nos sentimos así (ayuda a identificar qué situaciones o personas generan en nosotros diferentes estados de ánimo).
3. Decir qué sentimos cuando estamos así (ayuda a identificar la activación fisiológica, latidos del corazón, sudoración, cosquilleo en el estómago, etc.).
4. Decir qué hacemos cuando sentimos esa emoción… (ayuda a identificar qué comportamientos mostramos ante las emociones, como punto de partida para su modificación).

La oca de las emociones:

Materiales: Un juego de la oca, con fichas y dados. Dibujos con las expresiones de diferentes emociones, que recortaréis y pegaréis en papeles de diferentes colores y pondréis en el juego en lugar de las casillas habituales.

Juego:
Igual que a la oca, pero realizando la tarea que se os encomienda según la leyenda que aparece abajo.

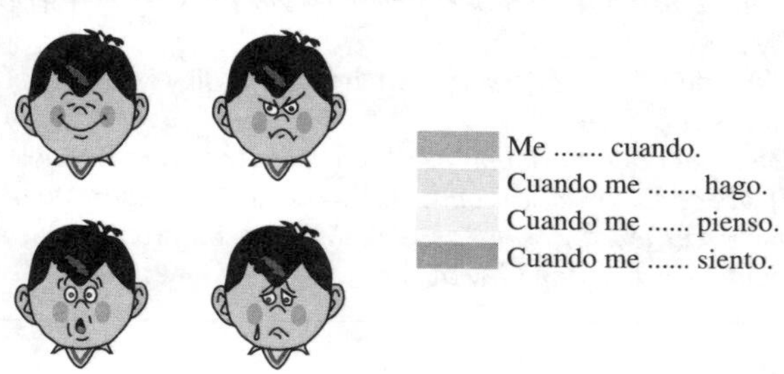

De este modo, si caemos en una casilla amarilla que tenga una cara enfadada, tengo que decir: «Cuando me enfado pienso que no es justo que siempre me estéis mandando».

Decir y escuchar:

Material: Una pelota, u otro objeto blando que se pueda lanzar.

Juego: Tirar la pelota a uno de los participantes, el cual terminará la frase que el otro comience:

— Te enfadas cuando...
— Cuando vamos a una fiesta te sientes...
— Si mamá no te deja comer la galleta te pones...

LAS EMOCIONES DEL DÍA

Buscar un momento del día en el que estéis todos juntos. Es importante que se cree un espacio de comunicación sin televisión, teléfonos, ordenador, etc.
Recordar situaciones del día importantes y explicar cómo os habéis sentido y por qué.
Reflexionar sobre diferentes aspectos de la emoción:

— A uno le puede dar miedo ir al dentista y a otro no.
— Uno puede gritar cuando se enfada y otro no hacer nada.

LIBROS PARA LEER A LOS NIÑOS

- *Cuentas para sentir.* Begoña Ibarrola. SM.
- *El imaginario de los sentimientos de Félix.* Levy-Turrier. SM.
- *Libro Bugabús sorpresa. Sentimientos.* Jilly Macleod. Timun Mas.
- *¡Bien hecho, Amadeus!* M.ª Jesús Moreno. Timun Mas.
- *El abecedario de los sentimientos. Hay un sentimiento por cada letra del abecedario.* Violeta Monreal y Óscar Muinelo. Ediciones Gaviota.

¿Qué es la ira?

Cuando hablamos de agresividad nos viene a la cabeza gente pegándose, insultándose o gritando. No obstante, la agresividad no es más que la manifestación de una emoción que subyace a ella: «**la ira**». Cuando un niño reacciona y pega a su compañero, no debemos limitarnos a pensar que lo hace porque el otro le ha molestado, aunque es probable que así sea, sino recapacitar sobre qué valores estamos transmitiendo a nuestros hijos y qué modelos de actuación les estamos dando para que su respuesta inmediata ante un conflicto sea la agresividad o la violencia.

Pero, ¿qué es la ira? Según el diccionario de la Real Academia de la Lengua Española, la ira es la pasión del alma que causa indignación y enojo o causa la violencia. Según esta definición, la ira es el origen del enfado, que muchas veces se traduce en agresividad, pero no nos dice lo que realmente es, ya que «pasión del alma» es un concepto demasiado abstracto, al menos a mi modo de ver.

Desde mi experiencia personal, como ser humano que vivencia la ira en primera persona, y como madre y educadora que la recibe de los niños, la ira es una fuerza interna que surge en nosotros para dar respuesta a diferentes situaciones que vivimos y que nos producen tensión, malestar o frustración.

No obstante, es cierto que ante las mismas frustraciones o situaciones negativas no todos respondemos de la misma forma; de hecho, cada uno de mis hijos muestra conductas muy diferentes por ejemplo ante una negativa mía. Como veremos más adelante, esta diferencia se establece en función de distintas variables personales, como puede ser el temperamento, pero también de aspectos como la experiencia previa del niño, y por supuesto de los pensamientos y creencias que elicitan la conducta.

Como ya hemos indicado, por regla general los niños suelen expresar sus sentimientos de una manera natural desde que nacen, de forma que las emociones les duran poco tiempo porque las expresan con fuerza. Todos sabéis que cuanto más pequeño es el niño menos le duran los enfados, y antes se pone a jugar y a reírse de nuevo con nosotros como si no hubiese pasado nada. Pero los padres, maestros y la sociedad en general enseñan a los niños que no deben exhibir según qué conductas porque deben ser buenos y portarse bien.

Evidentemente, hay emociones como la ira que hay que encauzar de una manera adecuada, expresándolas a través del lenguaje u otras formas de conducta, pero huyendo en todo caso de la agresividad o destrucción hacia los otros. Es muy frecuente que los padres y educadores, con nuestra actitud, tendamos a reprimir en los niños las expresiones de ira o enfado porque resultan altamente molestas. Pero lo que no pensamos es que precisamente este tipo de emociones deben salir al exterior y expresarse para que no lleguen a «estallar». Pensemos por ejemplo en una olla a presión que no tuviera una válvula; llegaría un momento que explotaría. Lo mismo ocurre con nuestros niños: hay veces que les hemos reprimido tanto la expresión de sus frustraciones que cuando «explotan» no entendemos por qué, pues lo hacen en la situación más inadecuada y sin venir al caso muchas veces.

Ahora pensemos en nosotros mismos, en esos días en que no nos sale nada bien y poco a poco vamos notando una especie de furia interna que no hemos canalizado, porque nos hemos callado cuando alguien nos ha quitado el turno en la tienda, porque se nos ha quemado la comida o hemos llegado tarde al médico y ya se ha ido, y de repente nuestros hijos nos preguntan si pueden salir a jugar y nosotros les respondemos a gritos diciéndoles lo mal que se portan, que siempre están pensando en jugar, que no nos ayudan nada, etc. Este episodio, que sin duda hemos vivido todos en alguna medida, refleja una gran realidad: la ira termina por expresarse. El problema es que si no se hace en el momento preciso, hacia la persona adecuada y de la manera correcta, puede destruir poco a poco al individuo en cuestión y a todos los que estén a su alrededor.

La finalidad de este libro es que no sólo los niños, sino también los padres y educadores, aprendamos a identificar nuestros momentos de ira, partiendo de las creencias y pensamientos que la generan, para que, a partir de su modificación, podamos autorregular nuestra conducta de acuerdo a ello, para expresarlos de la manera más adecuada.

Lo positivo de la ira

Como ya he comentado, todas las emociones son positivas, si bien la ira, el miedo o la tristeza suelen definirse como emociones negativas. Hay que tener presente que normalmente la ira surge ante una frustración o un evento negativo. Pero ante esta circunstancia, podemos dirigirla o bien hacia la realización del mal hacia el otro, con lo que estaríamos hablando de agresividad o violencia, o por el contrario podemos canalizarla y moderarla para que cause impacto, sin causarle daño al otro o a nosotros mismos.

La ira es una emoción muy importante, ya que hace posible al ser humano evolucionar y crecer interior y exteriormente. Así, cuando no conseguimos nuestros objetivos y nos enfadamos con nosotros mismos, esta emoción nos da fuerza para luchar más intensamente por lo que queremos y nos ayuda a superarnos. Por eso es importante que no la ignoremos en los niños ni intentemos que la repriman, ya que es una fuerza positiva que ayuda a mantener la vida y a avanzar hacia nuestras metas.

Para enseñarles a los niños lo positivo de la ira, suelo utilizar un símil. De este modo, les pregunto si el fuego es bueno o malo. Unos dicen que malo, porque quema y destruye, mientras que otros piensan que es bueno porque nos permite cocinar y nos da luz y calor. A partir de esta comparación les explico que la ira es buena cuando nos ayuda a superarnos, y mala cuando nos lleva a destruir o dañar. De este modo, cuando suspendemos un examen porque no hemos estudiado, y se genera en nosotros la ira, podemos encauzarla positivamente, poniéndonos a estudiar con más ahínco para recuperar la asignatura, o, por el contrario, podemos gritar, llorar, romper el examen y decir que el profesor nos tiene manía. En el primer caso la ira nos ayudará a superarnos y ser mejores, mientras que en el segundo se enquistarán conductas inadecuadas, que impedirán que construyamos un sistema adecuado y positivo de afrontamiento de situaciones difíciles, pues en ese caso raramente pondremos en marcha estrategias positivas que nos ayuden a crecer y evolucionar. Por eso es muy importante que vosotros, como padres, también entendáis que la ira es positiva, ya que difícilmente trataréis de canalizar esta emoción sin anularla, si no percibís lo positivo de la misma.

Por tanto, partiremos de que la ira es positiva en la evolución de los niños, teniendo siempre presentes los factores que van a condicionar que este tipo de fuerza se convierta en negativa, en forma de violencia, para poder modificarlos.

No es positivo eliminar ni reprimir la ira. Si nuestro hijo se siente maltratado por otro, debe ser capaz de expresarlo con convencimiento, sin arredrarse y de manera inmediata, para que no sea considerado como débil y se convierta en el blanco de los compañeros. Por otro lado, no hay que fomentar en los niños los comportamientos violentos, ya que si bien su eficacia a corto plazo es alta, a largo plazo suelen implicar dificultades de interacción social y rechazo por parte de los iguales.

ACTIVIDADES Y JUEGOS PARA DIFERENCIAR LO POSITIVO Y NEGATIVO DE LA EXPRESIÓN DE LA IRA

Los cubos de la ira:

Material: Cubos, sacos, cajas, etc.

Juego: En casa podéis jugar a identificar cosas que pueden ser a la vez buenas y malas: el agua, el fuego, la arena, etc., y por qué.

Posteriormente escribid en papelitos formas de expresar la ira, e introducidlos según los vais leyendo en el cubo que correspondan.

CORRECTO

«Deja de molestarme, por favor».

«Dame el coche que me has quitado».

El póster de la ira:

Material: Dos cartulinas grandes de colores rojo y verde, por ejemplo.

Juego: Hacer un póster uniendo las dos cartulinas y decidir qué color corresponderá a los adecuados e inadecuados. A lo largo del día, según realicéis comportamientos negativos o positivos generados por la ira, los debéis apuntar. Se trata de que cada vez haya más conductas positivas que negativas. Es importante que no sólo el niño coloque las conductas, sino que los padres le indiquemos y pongamos por él conductas positivas que utiliza para expresar su ira. También nuestros hijos podrán escribir en el póster nuestras actuaciones donde correspondan.

Pedir por favor a mamá que espere un poco	Romper el dibujo.
	No poner la mesa.
Contar hasta diez antes de gritar a María.	Escupir a Luis.

La ira positiva:

Material: cartulinas con forma de letreros de calles o pueblos.

EL CAMPEÓN
DEL SABLE

Actividad: pensad en las cosas positivas que habéis conseguido, las ocasiones en las que habéis sentido ira y la habéis encauzado correctamente, y luego ponedle un nombre de calle o pueblo. Por ejemplo, si vuestro hijo ha sentido ira porque ha perdido un combate de esgrima, pero en lugar de tirar la espada e insultar al otro niño ha decidido darle la mano y entrenar con más atención y esfuerzo hasta la próxima competición, puede hacer el cartel del pueblo *El campeón del sable*.

5 ¿Qué es la agresividad?

Según el diccionario, el término agresividad hace referencia a un conjunto de patrones de actividad que pueden manifestarse con intensidad variable, incluyendo desde la pelea física hasta los gestos o expansiones verbales que aparecen en el curso de cualquier negociación. La palabra agresividad procede del latín, en el cual es sinónimo de acometivididad. Implica provocación y ataque.

Berckowitz define la agresión como cualquier forma de conducta que pretende herir física o psicológicamente a alguien. Otros autores indican que es aquella conducta cuya finalidad es provocar daño intencionadamente a una persona u objeto, inanimado o animado, para conseguir un objetivo.

En los niños, las conductas agresivas son habituales porque no tienen recursos para responder al entorno de una forma más efectiva. Por ejemplo, pensemos en un bebé de 18 meses que comienza a tener pleno dominio de sus movimientos y está explorando con afán el mundo, creyendo además que todo es suyo. Si un compañero se acerca a quitarle su juguete, es fácil que tire de él con fuerza para que no se lo arrebate, y es muy frecuente que si se lo quita arremeta contra él para recuperar lo que es suyo. Sin duda, si no se da la intervención de ningún adulto el niño más fuerte conseguirá el juguete, por lo que volverá a utilizar esta estrategia en repetidas ocasiones para conseguir lo que desea.

Si pensamos en este mismo bebé en su entorno familiar observaremos que sus padres le indican constantemente lo que no debe hacer o tocar: no toques la televisión, no cojas el teléfono, no juegues con el cordón, no, no, no... Sin duda, las negativas frecuentes y la restricción de sus experiencias frustran al niño, que expresa su malestar en muchos casos a través de las rabietas. Pero si en una rabieta el niño consigue lo que quiere, aprende que a través del llanto, los gritos o las pataletas obtiene la atención de sus padres y en muchos casos lo que desea, consolidándose una vez más una conducta inadecuada como expresión de la ira.

Evidentemente, el niño de 18 meses carece de las herramientas más poderosas que poseemos los seres humanos para la interacción social: el lenguaje y el pensamiento. Por eso, en la medida en que los niños van creciendo, y siempre que se trabaje con ellos, las conductas agresivas se deben ir sustituyendo por conductas más constructivas que lleven implícitas el uso del lenguaje para la resolución del conflicto y la expresión emocional.

Cuando un niño le quita un juguete a otro, le pega o le insulta, surgen en éste sentimientos de ira que se traducen en una presión interna que debe aprender a:

— **Identificar:** saber que lo que siente es una emoción, la ira.
— **Saber cuál es su causa**: saber que está motivada por algo que le ha ocurrido y valora negativamente.
— **Expresarla:** canalizar la emoción de manera adecuada.

MATERIAL DE APOYO (CUENTOS CON ILUSTRACIONES)
Cuando estoy enfadado. Tracey Moroney. Ediciones SM.
Cuando me enfado. Michaelene Mundy. Ed. San Pablo.
Rebeca la rebelde. Tony Garth. Colección Mini Monstruos. Granica.

Hay que ayudar a que los niños identifiquen su sentimiento para que no le tengan miedo, sobre todo cuando la emoción sea muy grande. En el momento que conozcan su causa aprenderán a analizar situaciones, personas o cosas que le producen ira, y podrán generar estrategias de afrontamiento que les permitan expresarse con seguridad.

Es frecuente que los niños expresen su ira a través de conductas como, por ejemplo, gritar, decir palabrotas, dar un portazo, encerrarse en la habitación, pegar a su hermano, romper un juguete, darse un tortazo, etc. Es muy importante que dejemos a los niños que expresen su agresividad como sepan, siempre que no sea peligroso, y que nosotros seamos lo suficientemente empáticos como para ponernos en el lugar de nuestro hijo y comprender que está respondiendo a algo que le ha frustrado o que le está suponiendo un sufrimiento. Esto no quiere decir que no le ayudemos progresivamente a expresar la ira de una manera cada vez más adaptativa. Pero sólo podremos enseñar a nuestros hijos a controlar la agresividad y a canalizarla eficazmente si somos capaces de aislarnos de nuestros propios sentimientos, sobre todo cuando hemos sido nosotros los que hemos motivado esta reacción porque les hemos pedido que hicieran algo. Todos somos conscientes de que precisamente esas conductas de nuestros hijos también generan en nosotros sentimientos de ira, y que, aunque lo más sencillo sea responderles gritando o pegando, no debemos olvidar nunca que somos sus modelos, y que si no es lícito que ellos peguen tampoco lo es que lo hagamos nosotros.

Como veremos más adelante, es importantísimo que durante el ataque de ira contengamos la agresividad del niño y que luego le demos un tiempo de reflexión, analizando con él qué es lo que ha ocurrido y enseñándole la conducta adecuada, para que el niño aprenda cómo debe actuar la próxima vez, y ver así qué otras posibilidades tenía además de gritar o pegar.

Tipos de agresividad

Cuando la ira se manifiesta a través de la agresividad, lo puede hacer de muchas formas, por lo que podemos diferenciar distintos tipos de agresividad. No obstante, en este libro me referiré sobre todo a las manifestaciones de la ira que más nos interesan, porque son las más observadas en la infancia:

1. **Agresividad activa**: nos referiremos a ella cuando el niño realiza activamente una conducta:

   — Física: ataque a algo a través de un objeto o cuerpo.
   — Verbal: ataque a través del lenguaje.

2. **Agresividad pasiva:** se produce cuando el niño no ejecuta la conducta que se espera de él, mostrando indiferencia, no haciendo caso o ignorando al interlocutor.
3. **Agresividad instrumental**: observamos la misma cuando la conducta que presenta el niño le sirve para obtener algo; es decir, lo utiliza como un instrumento.

4. **Agresividad hostil o emocional:** se manifiesta cuando el niño pretente con su comportamiento producir daño a otro.

	Ejemplos de los tipos de agresividad
Activa física	Dar una patada, escupir, pellizcar, empujar, dar un puñetazo, tirar de los pelos, romper un juguete, destruir el castillo que hacen los otros, etc.
Activa verbal	«Te voy a partir la cara». «Eres un tramposo». «Eres idiota». «No hay quien te aguante».
Pasiva indiferencia	No contestar ni actuar ante el requerimiento de la otra persona, por ejemplo para recoger la ropa.
Pasiva no hacer caso	No moverse del sitio cuando se le dice que se siente a hacer los deberes.
Pasiva ignorar	Volver más tarde de la hora fijada por los padres.
Instrumental	Pegar al compañero para conseguir el juguete.
Hostil	Pegar al compañero para hacerle daño. Llamar al amigo «conejo», «gafotas».

Es importante que analicéis el tipo de conducta agresiva que presenta vuestro hijo. Aunque es habitual que la que más nos preocupe sea la agresividad activa, porque es la que suele provocar más daños, no obstante muchas veces la pasiva es tan dañina o más que la activa, siendo casi siempre más difícil de detectar o considerar como tal, por lo que suele ser más resistente y difícil de modificar.

Si os pido que repaséis las conductas agresivas de vuestros hijos seguro que llenáis vuestros pensamientos de gritos, peleas, insultos, etc. Lo positivo de estas manifestaciones es que nos permiten a los padres y profesionales actuar sobre ellas, modificándolas para posibilitar un proceso constructivo de la personalidad de nuestros hijos. Sin embargo, la agresividad pasiva muchas veces nos pasa desapercibida porque el daño que hace es más sutil y soterrado, y en otros casos porque no tiene consecuencias negativas aparentes en nosotros. De mis dos hijos, hay uno que manifiesta su ira de una forma muy activa y expansiva, mientras que el otro lo hace de forma más pasiva. En el primer caso, casi siempre sé qué tengo que hacer; aunque realmente suscita más ira en mí, al ser una actitud activa y abierta me permite actuar de una forma más eficaz, ya que no sólo tengo más estrategias de actuación, sino que además puedo anticiparme a sus conductas. Por el contrario, cuando mi otro hijo presenta una agresividad más pasiva, no actuando o mostrándose indiferente, a veces no soy consciente de lo que está ocurriendo, y eso me impide atajar comportamientos que cuando analizo en profundidad me indican que ha desobedecido conscientemente; sin embargo, al haber pasado a veces bastante tiempo no me es posible intervenir.

Os pondré varios ejemplos. Cuando a mi hija, que es altamente expansiva, le pido que recoja su habitación, suele hacer lo siguiente: se acerca a mí corriendo y gritando «¡siempre yo, me estás maltratando, estás coartando mi forma de vida, no sé por qué tengo que tener todo recogido si a mí me gusta así!»; acto seguido se mete en su cuarto, da un portazo, y transcurrido un tiempo en el que se calma finalmente se pone a recoger la habitación. Como veremos más adelante en las pautas que os daré, el mantenerme firme en los límites y no alterarme ha permitido a mi hija saber que, a pesar de sus comportamientos, yo no voy a ceder; sin embargo, su expresión emocional de la ira va cediendo progresivamente tanto en intensidad como en frecuencia. Además, cada vez son menos las veces que protesta, y en alguna ocasión incluso ha recogido sin que se lo dijera.

En el otro extremo está mi hijo. Un niño altamente normativo y aparentemente tranquilo. Digo aparentemente porque no suele protestar casi nunca y suele hacer lo que se le dice, o eso parece, ya que cuando sus deseos son frustrados no suele oponerse abiertamente manifestando comportamientos negativos, ya que simplemente ignora o se manifiesta indiferente. De esta forma, cuando se le pide por ejemplo que recoja su cuarto, te dice «vale». Con esta afirmación te quedas tan tranquila porque piensas que tus deseos son órdenes y que no va a haber ningún problema. Pero cuando te diriges a su cuarto para decirle que está la cena lista, te das cuenta que el desorden sigue en su sitio. Lo peor es que cuando le preguntas, sigue sin alterarse y te da una explicación altamente convincente para la no realización de la conducta: «es que estaba terminando un problema de mate», «se me iba a secar la pintura que ya había abierto», etc. Al no presentar un comportamiento reactivo los padres no nos enfadamos tanto, pero si no somos cautos dejaremos que sus estrategias pasivas le sirvan para eludir sus responsabilidades y evitar lo que debe hacer. Además, mi experiencia me dice que los pasivos agresivos son mucho más tenaces y resistentes, porque sus conductas las reforzamos mucho más sin ser casi nunca conscientes de ello.

Otra observación importante que debéis tener en cuenta es diferenciar si la agresividad es instrumental u hostil. Tengo que deciros que es muy frecuente que los niños utilicen la agresividad para conseguir algo: el juguete que le han quitado, la chuchería que le niegan sus padres o la atención de la abuela. Este tipo de agresividad, que se puede manifestar activa o pasivamente, es bastante normal y susceptible de ser trabajada por los padres, teniendo resultados muy positivos cuando se hace bien. Sin embargo, la agresividad hostil, si bien es menos frecuente, es más nociva y dañina, ya que no se realiza para la obtención o consecución de un deseo, sino por el hecho de dañar al otro en sí mismo. Tenéis que ser muy prudentes, ya que detrás de este tipo de agresividad suele haber niños con problemas emocionales serios y con mucho dolor interno, que es el que les lleva a actuar de esta manera. Por eso, en este segundo caso suele ser necesaria una intervención terapéutica que ayude al niño a reconducir su personalidad. Es frecuente que los padres, cuando el niño es pequeño, lo excusen y piensen que con los años madurará o se le pasará. No obstante, os diré, según mi experiencia, que este tipo de agresividad no se elimina con los años, ya que si no se modifica el núcleo personal que la genera suele ir a más, y en la adolescencia, o incluso antes, los niños se convierten en auténticas «bombas de relojería», con muchos recursos diferentes para estallar de diferentes modos y en distintas situaciones.

7 La agresividad en función de la edad

Como ya hemos visto, la agresividad se presenta en todos los estadios evolutivos de la vida humana. Sin embargo, en cada uno de ellos presenta una manifestación diferente. Por eso, cuando analicemos una conducta agresiva de nuestros hijos debemos tener siempre presente la edad del niño, ya que a medida que éste se desarrolla va cambiando tanto el tipo de agresividad que presenta como el objeto hacia el que ésta se dirige. De este modo, una de las manifestaciones más comunes de la agresividad en la infancia son las rabietas; pero si bien éstas son frecuentes y normales entre los dos y los tres años, no lo son a los seis, considerando su aparición en esta edad como algo significativo y no adaptativo, que es susceptible de modificación.

Si habéis observado a vuestros hijos, tal y como ya hemos indicado, cuando más pequeños son más imperativamente exigen que sus deseos sean satisfechos. De esta forma, los **bebés menores de un año** no dejan de llorar hasta que sus padres o cuidadores les dan de comer, cambian o simplemente les cogen y dan calor y afecto. Por tanto, la finalidad de la conducta es aliviar la tensión del niño, siendo la dirección de la ira indiferenciada, ya que no se dirige a nada ni a nadie en concreto.

A partir del año los niños adquieren la deambulación, que les permite moverse por donde quieran, abriéndose así ante ellos un mundo de posibilidades y experiencias. Cuando trabajaba en escuelas infantiles como psicóloga, en el grupo ***de uno a dos años*** eran muy frecuentes entre los niños la resolución de los conflictos a empujones, arañazos o mordiscos. Estas conductas producían un gran malestar tanto en los padres de los hijos que pegaban como en los de los que recibían el daño; por eso, uno de los objetivos que teníamos en la primera reunión con las familias era encuadrar las características evolutivas de la etapa y advertirles de esta peculiaridad del desarrollo, para que supieran lo que podía ocurrir. Por supuesto esta advertencia no nos eximía a los adultos de estar pendientes de los niños y de poner en marcha las estrategias pertinentes para que no aparecieran o para modificarlas en el caso de que se dieran. Si recordáis esta etapa de vuestros hijos en la que están echando los dientes, es muy frecuente que muerdan, y muchas veces nos han pillado desprevenidos y nos han mordido a nosotros, al hermano o al amiguito. Debemos tener en cuenta que la desazón que tienen por la erupción de la dentición es un factor interno, que en sí mismo produce un malestar en muchos niños que disminuye mordiendo; por eso les compramos mordedores, aunque ellos suelen morder todo lo que encuentran a su paso. Os explico esto porque hay veces que las conductas agresivas de los niños tienen causas internas que no desaparecen, porque lo que las genera sigue presente. Lo mismo ocurre cuando les duelen los oídos o la tripa, y en su expresión del malestar lloran o nos dan manotazos cuando les queremos dar la medicina. Tener esto siempre presente, porque esta manifestación de la ira tiene un porqué y hay que aceptarla y tomarla con serenidad, ya que los niños, al ser tan pequeños, no tienen estrategias de canalización diferentes.

Pero volvamos a la interacción personal y social. En otras ocasiones las conductas agresivas surgen por las negativas del entorno a satisfacer los deseos de los niños. En este caso la agresividad tiene como objetivo controlar el objeto frustrante: en unos casos el adulto que no le deja coger las tijeras, y en otros el niño que le ha quitado el juguete. Además, comienzan a aparecer las rabietas como respuesta a las negativas del entorno. No olvidemos que la autonomía en la marcha trae consigo muchos peligros, lo que provoca que los padres estemos constantemente diciéndoles: «no toques eso», «no te subas ahí» o «no grites». El inicio de las prohibiciones hace que el amplio mundo que se abre ante ellos se vea reducido, sobre todo experiencialmente, por lo que surgen en el niño sentimientos de frustración al no poder conseguir lo que se propone. Como veremos más adelante, la experimentación es altamente positiva en los niños, ya que les ayuda a construir el conocimiento, y por ello los padres, dentro de unos límites razonables y siempre y cuando no haya peligro, debemos dejar a los niños experimentar.

También es frecuente en estas edades que el niño descargue su agresividad con su madre, aunque no haya sido el origen de su frustración. De hecho, todos los años algún padre de la escuela infantil me pedía cita porque estaba muy preocupada ya que su hijo de dieciocho meses o dos años le pegaba o mordía, a veces sin saber por qué. Tenéis que saber que en los estudios realizados sobre la evolución de la agresividad en los niños a estas edades, es frecuente que el niño dirija y canalice su ira hacia las figuras de referencia, siendo principalmente la madre o los hermanos el objeto de la agresividad. Recuerdo que cuando mi hija tenía dos años y se caía, se volvía hacia mí, me pegaba y me decía: «por tu culpa». En esos momentos, en los que debería haber sentido malestar, éste no se producía, ya que yo tenía una explicación del porqué de su conducta, lo cual me permitía responder con serenidad y coherencia.

No obstante, si bien esta conducta no es extraña, no por normal debe ser permitida. De hecho, es importante que se aborde cuanto antes, para que el niño no la utilice habitualmente como forma de respuesta automática. Lo primero que tienen que saber los padres es que el hecho de que el niño dirija la ira hacia su madre no indica que la perciba como mala, pues es frecuente que los padres se pregunten el motivo y se sientan a veces culpables por los sentimientos que generan en ellos. No obstante, cuando saben que es algo normal en los niños de esa edad, suelen tranquilizarse y ser mucho más eficaces a la hora de establecer un plan.

Es importante indicar que lo que no se debe hacer nunca es pegarlos, ya que en esta etapa los niños tienden a imitarlo todo, pues es una forma de aprendizaje, y estaríamos reforzando su conducta. Además, en ocasiones, cuando el adulto da un manotazo al niño, como no suele ser fuerte lo puede tomar como un juego y repetirlo una y otra vez, por lo que en ocasiones los padres me han narrado con verdadera angustia que han estado un rato pegándose con su hijo de dos años, sin ver el momento de parar, ya que «no voy a permitir que un mico de dos años me pegue». Se debe tener en cuenta que a estas edades no existe en el niño la conciencia de que su conducta produce un daño en el otro, ya que lo que él observa y experimenta es una reacción del adulto positiva o negativa, que debido a su corta edad no le permite establecer un conocimiento real de lo que ha ocurrido.

Normalmente, en estos casos en los que el niño pega a su madre, haya existido o no una causa aparente, la mamá o el adulto de referencia debe utilizar sobre todo la comunicación no verbal, ya que los niños son más susceptibles a estos cambios que a conductas más drásticas como el castigo o el azote, que no suelen dar resultado. Para ello, el adulto debe cambiar su expresión facial, poner cara de enfado, distanciarse del niño y decir en tono firme pero sin gritar: «¡Me has hecho daño y no me gusta!». Tras unos instantes, debe dulcificar el tono y dirigir la mano del niño hacia la cara de la mamá o el sitio en el que haya pegado, y enseñarle a acariciarlo a la vez que se le dice: «a mamá cariño, caricias y besos», a la vez que va cambiando la expresión y le abraza y besa. Esta técnica se denomina sobrecorreción en psicología, y la explicaremos más detenidamente en el capítulo dedicado a las formas de actuar frente a la ira de los niños.

Entre ***los dos y los cuatro años***, y dependiendo del niño, surge evolutivamente el momento de diferenciarse del adulto y dejar de ser un bebé para convertirse en un niño. Es en este momento cuando solemos quitarles el chupete, los pañales, les pedimos que coman solos y que empiecen a desnudarse y vestirse. Es la época de la autoafirmación y el negativismo. El niño quiere hacerlo todo solo y desea igualarse a los adultos en derechos y actividades. Esta etapa es crucial, ya que como las reacciones agresivas se agravan, si no se manejan adecuadamente por parte de los adultos el niño puede utilizar estas conductas de una forma habitual a lo largo de su desarrollo. Es frecuente que cuando los padres acuden a mi consulta con niños de siete u ocho años con problemas de conducta, me digan que siempre habían pensado que las rabietas iban a desaparecer y que cuando el niño se hiciera mayor sabría comportarse correctamente. Como veremos más adelante, si los padres no introducen modificaciones en sus pautas de actuación que posibiliten a los niños cambiar sus comportamientos, raramente los patrones de respuesta se cambian.

La agresividad durante esta etapa suele producirse como una respuesta ante el cambio de nivel de exigencias del entorno y la normativa externa que éste impone, que implica abundantes frustraciones para el niño. Es una agresividad alterante reactiva, y el niño suele responder a la agresividad con agresividad no sólo para conseguir lo que quiere, sino también para manifestar su malestar y descargar la tensión emocional que le genera el entorno. Es la época de las rabietas por excelencia y cuando los niños exhiben las conductas expansivas más aparatosas: se tiran al suelo, gritan, chillan, pegan, etc. Es el tiempo en el que los padres deben tener un mayor autocontrol y las ideas muy claras para poder ayudar a sus hijos a superar una etapa difícil para todos.

Los papás tenemos que tener claras las siguientes consignas:

— El niño no debe conseguir nunca sus objetivos a través de la rabieta o la agresividad.
— Los padres tenemos que ser coherentes y fijar normas y límites que ayuden a la autorregulación.
— Es el momento de enseñar conductas alternativas a la agresión.
— Debemos centrarnos en nuestro hijo y nosotros, dejando de lado las opiniones de terceros, y perdiendo el miedo al que dirán o pensarán de nosotros porque nuestro hijo se comporte así.

A partir de los ***cuatro años,*** gracias al desarrollo cognitivo y del lenguaje y como resultado de la experiencia vivida, el niño ya es capaz de establecer claramente que sus comportamientos actúan sobre el entorno para conseguir lo que desea. En esta etapa la agresividad se manifiesta plenamente ante la frustración, y se utiliza para resolver conflictos, tanto con los adultos como con los iguales, sobre todo cuando sus deseos no son satisfechos. Es una etapa muy importante, ya que es en este momento cuando los niños comienzan a interiorizar e integrar las normas sociales, por lo que si los padres no las fijan adecuadamente surgen problemas importantes en el niño en cuanto a su adecuación y adaptación al entorno, que se suele reflejar muchas veces en el ámbito escolar y social.

Normalmente la ira surge cuando no se satisfacen los deseos del niño, por lo que la agresividad se dirige hacia lo que obstaculiza la obtención del refuerzo, normalmente sus padres. No obstante, la aparición de la ira en esta etapa es muy importante, ya que está muy vinculada al crecimiento personal del individuo, pues implica el reconocimiento de un mundo externo a él, con unas normas y reglas que debe aceptar para su integración social. Por tanto, las respuestas agresivas que surgen en esta etapa son necesarias para que el niño ponga de manifiesto los conflictos que tiene, y aprenda a solucionarnos cada vez de una manera más adaptativa, ya que a esta edad el lenguaje y el desarrollo cognitivo le van a permitir desarrollar un sistema de respuesta más eficaz y menos agresivo si el entorno próximo en el que se desarrolla favorece su aprendizaje.

A medida que el niño crece la expresión de la agresividad se va modificando, ya que el aumento de la socialización posibilita que el niño tenga formas más eficaces y correctas a la hora de resolver los conflictos, gracias sobre todo a la interiorización de la normativa social y a un aumento de los recursos de autorregulación personal.

Por eso, a ***partir de los seis años*** la expresión de la agresividad disminuye mucho en intensidad, debido sobre todo a cambios cognitivos que le posibilitan racionalizar las cosas. La ira se transforma de esta manera en otras formas de expresión como el enfado, el fastidio, la envidia o los celos.

Además, con la inmersión total en el mundo social aparecen otros fines a la hora de manifestar conductas agresivas, ya que aparece la competitivad y el niño se enoja cuando no gana, o cuando sus notas son peores que las del compañero. No le gusta perder a los juegos con sus padres o hermanos, y a veces tira las fichas o se va a su habitación enfadado. Además, los niños comienzan a establecer juicios de valor y aparece el sentido de la justicia, que los lleva a enfadarse y a decirnos: *«no es justo; yo ya recogí ayer la mesa»*. En esta etapa, por supuesto, siguen manifestando agresividad cuando son frustrados, pero hay que decir que si han interiorizado adecuadamente los límites y no se les da todo lo que desean estas situaciones van a ser esporádicas.

A partir de la ***adolescencia,*** con el surgimiento del pensamiento abstracto, los cambios fisiológicos y con todo un bagaje personal a sus espaldas, el adolescente va a manifestar una agresividad muy similar a la del adulto. Debido a que esta etapa evolutiva tiene una entidad propia y unas características que la hacen única en la vida del ser humano, no me voy a detener a analizarla, ya que no es el objetivo de este libro, que se centra sobre todo en las etapas anteriores. Sí he de deciros que es muy difícil actuar sobre un adolescente agresivo cuando no ha tenido una educación emocional desde niño; de ahí la importancia de abordar los comportamientos agresivos de nuestros hijos desde que son pequeños, para prevenir que en la adolescencia el joven se desajuste y agrave comportamientos que es posible estuvieran en su vida desde que era un crío.

También quiero indicaros que existen diferencias en la expresión de la ira en cuanto al sexo, la duración, la intensidad y la manifestación de la agresividad. En las investigaciones realizadas hace años se concluía que los niños son en términos generales más agresivos que las niñas desde los dos años, siendo el tipo de agresividad que presentaban de tipo físico y más duradera. Por el contrario, las niñas manifestaban menos agresividad, y si ésta se presentaba lo hacía de forma verbal. Los estudios actuales no destacan tanto esta diferencia, encontrándose únicamente desigualdades notables en cuanto a la agresividad física, debido probablemente a los cambios culturales que se están produciendo a nivel social.

¿La agresividad se aprende?

Como hemos visto hasta ahora, la agresividad nace con el hombre, y su función en la evolución la hace imprescindible para el ser humano, ya que nos ayuda a avanzar, sobrevivir y conseguir objetivos. No obstante, la expresión positiva o negativa que hagamos de la misma se puede aprender. Pongamos un ejemplo: si un padre que está enfadado porque su hijo de cinco años no quiere recoger los juguetes, le da un azote para que lo haga, está «enseñando» a su hijo que a través de la agresividad se consigue lo que se desea; en este caso, que el niño recoja. Este mismo niño, cuando se encuentre en el patio o en el parque y quiera que su compañero le dé el juguete, es muy posible que se lo quite violentamente, o le pegue para conseguirlo. El adulto suele pensar equivocadamente «que el fin justifica los medios», y que como es el padre puede utilizar cualquier método para conseguir que recoja.

Pero, ¿por qué se produce el aprendizaje? Sin lugar a dudas, porque el padre y posteriormente el niño han conseguido lo que deseaban, por lo que es muy probable que cuando quieran obtener un resultado rápido y eficaz utilicen la agresión como pauta de comportamiento. Este tipo de aprendizaje se denomina instrumental, y decimos que se produce por reforzamiento, ya que la conducta de pegar ha tenido una consecuencia positiva: en el primer caso, que el niño recogiera los juguetes, y en el segundo obtener el juguete. Por tanto, el resultado obtenido aumenta la probabilidad de que tanto el padre como el hijo repitan la agresión como forma de resolver el conflicto.

Pero también debemos plantearnos que en el caso del niño ha actuado también otro tipo de aprendizaje: por modelamiento; es decir, el padre se muestra como modelo de actuación para el niño, y manifiesta su comportamiento ante una situación negativa. El niño aprende así un tipo de conducta determinada para la resolución del problema.

El anterior ejemplo, que os muestro a través del esquema posterior, pretende que entendáis y toméis conciencia de que utilizar «el azote» para que el niño recoja tiene muchas connotaciones, no siempre evidentes para los padres. Quizá la más importante sea que el uso de esta estrategia nos permite obtener resultados iniciales, casi siempre rápidos e inmediatos, y que esta consecuencia nos refuerza a nosotros, y nos enseña que con esa conducta podemos conseguir cosas rápidas de nuestros hijos. No obstante, no somos conscientes muchas veces de que comenzamos a utilizar este método de manera general y para casi todo: que se coman la fruta, que se sienten a cenar o que hagan los deberes. El problema es que cuanto más se utiliza el castigo, sobre todo el físico, menor efecto va teniendo en los niños. De hecho, es muy frecuente que cuando acuden a mí los padres con niños agresivos, me informen de que no vale nada con ellos, que se han habituado al castigo y que ya no saben qué hacer. Además, el castigo o el azote, sobre todo a medida que crecen los niños, aumenta su ira y por tanto su agresividad, produciendo en determinados casos verdaderas batallas campales en las familias, en las que en ocasiones los niños incluso traspasan la barrera de la autoridad y pegan a sus padres, como respuesta a su agresión o castigo.

Ejemplo de comportamiento reforzado de agresividad, aprendido por modelamiento

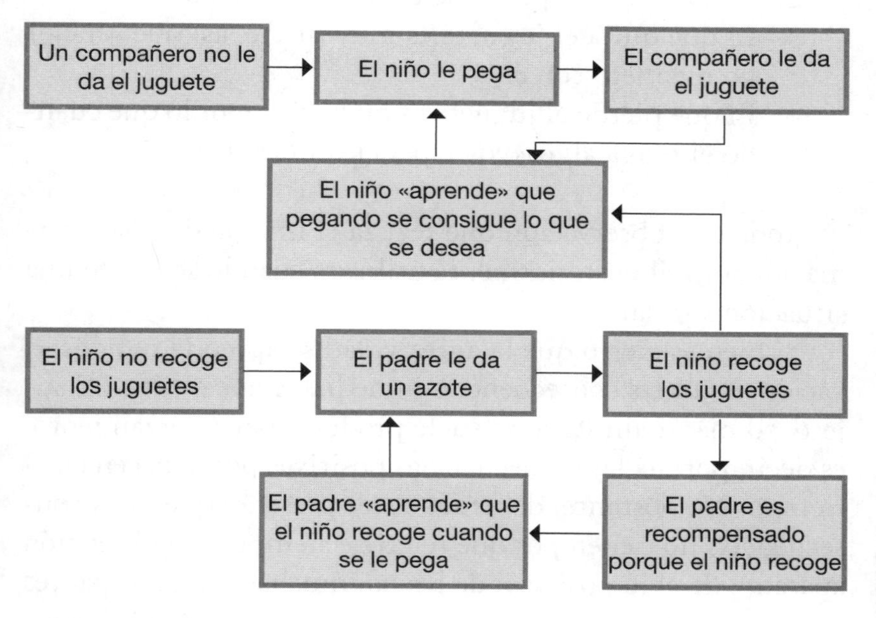

Debemos pues ser consecuentes y saber que cuando a nuestro hijo le reprendemos con gritos o azotes nos estamos convirtiendo en modelo de conductas agresivas para la resolución de conflictos, por lo que el niño tenderá a repetir estos comportamientos cuando deba hacer frente a un problema.

No obstante, en algunos casos no tiene por qué ser el adulto el que enseñe la conducta agresiva. De hecho, cuando el niño se encuentra en un entorno social con compañeros de su misma edad también se producen episodios de interacción que le muestran cómo comportarse. Por ejemplo, si en el recreo de la escuela infantil dos niños quieren la pala, y otro observa cómo el más fuerte la consigue tirando de ella y pegando al otro niño, el niño que está mirando obtiene las siguientes conclusiones:

1. El juguete lo consigue el que da más fuerte.
2. A través de las peleas se resuelven los conflictos.
3. El que quita el juguete es muy fuerte, así que «mejor no me meto con él».
4. El que pierde el juguete es más débil, por lo que cuando él tenga algo «voy a poder quitárselo».

Toda esta observación que realiza el niño le da una información, que él posteriormente utilizará cuando se vea en una situación similar.

Si bien es cierto que la agresividad se aprende por observación, o por las consecuencias inmediatas que obtiene el sujeto, su mantenimiento se suele producir por reforzamiento, es decir, porque las consecuencias positivas permanecen en el tiempo. No obstante, debemos tener presente que estas consecuencias no tienen por qué referirse siempre a la obtención aparente de algo positivo; de hecho, muchas veces los padres me comentan: *«no entiendo por qué hace eso, sabiendo que le voy a regañar y me voy enfadar con él».* En estos casos, y aunque a los adultos nos resulte difícil entenderlo, los niños buscan la atención paterna, aunque ésta implique el reproche o la regañina.

En el aprendizaje de la agresividad también debemos pensar en el valor que siempre se le ha dado a la misma. Es por todos sabido que el adulto suele mostrarse orgulloso de su hijo cuando en una pelea sale victorioso, ya que es innegable la admiración social que existe hacia los que vencen o hacia el protagonista de la película que acaba matando a todos los «malos». Con todas estas conductas, el niño aprende a través de la observación de modelos que el comportamiento agresivo es muchas veces valorado por la sociedad, quedando por tanto reforzada su utilización.

9 Factores que favorecen la agresividad en la infancia

Como ya hemos visto, la agresividad es una conducta que responde al surgimiento de una emoción (la ira), que es innata en el ser humano y que compartimos con el resto de animales. Hasta aquí hablaríamos de una base biológica para la ira. Pero son los factores ambientales los que determinan que su expresión se desarrolle en el niño como función adaptativa y constructiva, o que por el contrario evolucione hacia conductas destructivas e inadecuadas.

En un tema como el que nos ocupa, la dicotomía herencia-medio que tanta controversia ha producido en psicología no tiene mucho sentido, ya que ambos factores están interrelacionados, y es altamente complicado que se dé uno sin el otro. En muchas ocasiones, cuando atiendo a padres que tienen hijos con problemas de agresividad, vienen con una gran carga de culpabilidad con respecto al origen de los comportamientos del niño, que amigos y familiares achacan casi siempre a su falta de disciplina. Pues bien, si nos quedáramos solamente con esta explicación, sería suficiente con trabajar con los padres para que los problemas de los niños desaparecieran, y sin embargo en muchos casos esto no es así. Al igual que he hecho hincapié en que la separación herencia-ambiente no tiene sentido, tampoco la tiene la separación padres-hijos, ya que la dinámica familiar que se establece entre ambos es la que va a explicar la conducta. Cuando yo empecé a trabajar con niños hace ya veinte años, trabajábamos con ellos sin tener en cuenta muchas veces a la familia, ya que el niño era el que producía la conducta y el que tenía el problema. Posteriormente, el peso de la familia empezó a tomar tal relevancia que en algunos casos se trabaja sólo con los padres a través de orientaciones a los mismos. Es posible que en algunos casos puntuales se pueda llevar a cabo la intervención sólo en uno de los dos agentes, pero sin lugar a dudas las personas que trabajamos con niños que presentan conductas agresivas sabemos que las características individuales de los niños muchas veces condicionan el comportamiento de los padres.

Después de trabajar diez años en escuelas infantiles que atienden a niños de 4 meses a tres años, os diré que desde que los niños son bebés se perciben diferencias significativas en cuanto a su respuesta al medio. Estas diferencias, que son perceptibles para los padres y educadores desde que los niños son bebés, han sido estudiadas por los investigadores, estableciendo diferentes tipos de temperamento en los niños. Cuando un niño actúa de forma expansiva, se suele decir que posee un temperamento difícil. Este tipo de temperamento, que se observa en algunos niños desde que son bebés, va a condicionar en gran manera el modo de comportarse de sus padres. Os pondré un ejemplo. Un niño de tres años con temperamento fácil, cuando sus padres le piden que se quede quieto jugando en su cuarto lo hace; ello favorece un clima de tranquilidad en el hogar, ya que los padres pueden atender a sus quehaceres sin tener que preocuparse de nada. El mismo mandato realizado a un niño de temperamento difícil tiene una respuesta muy diferente, ya que dicho niño seguramente no permanecerá quieto, siendo muy posible que salga del cuarto, explore la casa, coja lo que le atraiga y rompa o desordene todo. Esto implica que los padres tengan que dejar lo que están haciendo para atender al niño. Este hecho en sí mismo produce ira en los padres, que seguramente responderán expansivamente y no de una manera tranquila y positiva. Estos mismos padres, a medida que el niño crece, se van dando cuenta de que no les sirve lo que hacen, por lo que van cambiando de estrategias según lo que les van diciendo, lo que leen o lo que creen les puede servir. Estos cambios en la interacción con los niños, que implica que unas veces utilicen el refuerzo, otras el castigo y otras no se haga nada, evita que los niños adquieran e interioricen adecuadas consecuencias a sus conductas, y por tanto un modo adecuado y unificado de comportarse.

Este tipo de niños que presentan un temperamento difícil, caracterizado por ser mucho más reactivo a las demandas del entorno, poseen una baja tolerancia a la frustración, ya que necesitan que sus deseos sean cubiertos de manera inmediata, y suelen presentar conductas más impulsivas que reflexivas, actuando muchas veces antes de pensar en las consecuencias de su conducta, etc. Estos niños van a necesitar, no solamente que sus padres modifiquen su forma de actuar con respecto a ellos, sino también desarrollar estrategias y habilidades personales para aprender a responder eficazmente a las demandas del medio.

Por otro lado, y con respecto a la influencia de la familia en el desarrollo de conductas agresivas de los niños, como todos sabemos la familia es el primer núcleo de aprendizaje y socialización en el niño, ya que es donde más tiempo pasa. Es sin duda la familia la que nos transmite los valores básicos de la vida, ya que desde que nacemos, y gracias a la interacción que tenemos con nuestros padres, aprendemos a comunicarnos, a jugar, a cuidarnos, etc. La familia se constituye así como un ***grupo de referencia,*** ya que el niño observa a sus padres y hermanos, tomando sus comportamientos como criterio para valorarse a sí mismo y orientar su propia conducta. La expresión de la familia la hace única y el niño la usa como guía para desarrollar sus valores, actitudes, conductas e imagen.

La familia, como grupo de referencia, cumple, entre otras, una función normativa y otra comparativa. De este modo, cuando el niño se fija en sus padres para guiarse cuando está inseguro de lo que piensa o hace, está estableciendo normas de conducta. De ahí que la familia cumpla una función normativa. El niño observa a su familia para fijar y reforzar las propias conductas y creencias, y seguir las normas en el modo de pensar, vestir, comunicarse, etc. De ahí la importancia que tiene que ambos padres estén de acuerdo en los límites y las reglas, ya que de lo contrario al niño le costará interiorizar correctamente la normativa social.

Por otro lado, la familia de referencia sirve también para valorar la propia conducta; se comparan las acciones y se mide la imagen de uno mismo con la de los padres como modelos. Por eso, si los padres acuden al niño que acaba de gritar e insultar a su hermana y dar un portazo en su habitación, con serenidad y dialogando, el niño comparará su actuación con la de sus padres y le servirán de modelos para el cambio.

Por tanto, no sólo el niño imita conductas tanto del adulto como de los otros hermanos, cuando éstos existen, sino que al comparar sus actuaciones con la de ellos está estableciendo un sistema de referencia que le ayudará a regular eficazmente su conducta, siempre y cuando los modelos de referencia familiares sean positivos.

Es por tanto importante que los padres asumamos y respetemos las normas, ya que somos modelos para que los niños las imiten y compartan. Si pedimos a nuestro hijo que tire los botes usados a la papelera, pero cuando nosotros desenvolvemos un chicle lo tiramos al suelo, le estamos dando a nuestro hijo una información contradictoria, que le llevará a hacerse preguntas y a cuestionar lo idóneo de la regla establecida por el adulto, lo cual le servirá de excusa para su comportamiento inadecuado.

Otro aspecto importante que tenemos que tener presente es que los padres tendemos a fijarnos más en los conflictos que nuestros hijos solucionan a través de la agresividad que en los que tienen una resolución adecuada. Si pensamos en cuando nuestros hijos juegan juntos y están callados, normalmente no solemos intervenir aprovechando la paz que se respira en esos momentos, temiendo que si nos acercamos la magia desaparezca. No obstante, es seguro que durante ese tiempo de interacción surjan varios conflictos que sin duda son resueltos eficazmente y sin nuestra ayuda, por lo que deberíamos felicitarlos por ello, para reforzar así la forma eficaz de jugar: compartiendo juguetes y negociando la actuación. Cuando como madre tomé conciencia de ello, decidí que tenía que demostrar a mis hijos que esta forma de interacción me gusta y que tiene muchos beneficios para la familia. Por eso, cuando se dan estas situaciones suelo entrar en la habitación y decirles lo orgullosa que estoy de ellos, reforzando todo lo positivo que puedan tener.

Sin embargo, cuando los niños discuten, se enfadan o incluso se pegan nosotros nos fijamos en ello, y solemos intervenir impidiendo que los niños busquen y consigan formas diferentes de solucionar sus problemas, ya que lo más habitual es castigarles sin el juego y mandarles a su habitación.

Tenéis que tener presente que cuando los niños de más de cinco o seis años mantienen las conductas agresivas como forma de respuesta en la interacción con el entorno, habitualmente es porque a nivel familiar viven la inconsistencia en las normas, la agresividad como forma de interacción y una falta total de control y contención emocional. En el cuadro siguiente podéis observar los factores familiares que favorecen que las conductas agresivas se desarrollen y mantengan en los niños.

Factores familiares que favorecen el desarrollo y el mantenimiento de la agresividad en los niños
1. Discrepancias en los estilos educativos paternos, que combinan en muchos casos la sobreprotección con un alto nivel de hostilidad y exigencia cuando el niño fracasa.
2. Una estructura familiar cambiante según el estado de ánimo de los progenitores y la situación en la que se encuentren, lo que les lleva a cambiar frecuentemente de pautas de actuación ante la misma conducta del niño, impidiendo por tanto una referencia consistente que permita al niño saber qué debe hacer.
3. Falta de acuerdo entre los padres en cuanto qué se le debe pedir al niño y cómo debe comportarse. Esto implica muchas veces que una misma conducta sea reforzada por el padre y castigada por la madre o viceversa, impidiendo crear en el niño un adecuado sistema de referencia que le posibilite interiorizar las normas.
4. Pautas de interacción familiar basadas en la agresión verbal o física, no sólo ante los conflictos, sino como forma de comunicación. Los padres se insultan cuando hacen mal las cosas y lo mismo hacen con sus hijos.
5. Resolución de conflictos familiares a través de conductas expansivas de forma frecuente o habitual.
6. Utilizar una comunicación agresiva a la hora de definir los comportamientos del niño.
7. Ausencia de afectos positivos parentales o rechazo afectivo hacia el niño.
8. Falta de control emocional por parte de los padres o hermanos mayores.

Si el niño observa en su familia que los conflictos se resuelven a través de la violencia, que la comunicación se basa en los gritos y reproches, que el afecto es escaso y el autocontrol muy poco, y que sus padres tienen que utilizar el azote para que se les obedezca, se está impidiendo que el niño construya una personalidad sana y equilibrada, ya que vivir en la agresividad y la inconsistencia produce miedo e inestabilidad, pues difícilmente se puede saber a qué atenernos. Por otro lado, se aprenden y enquistan conductas altamente nocivas que producen resultados positivos a corto plazo, pero que a largo gestan amargura, miedo, baja autoestima y sobre todo impiden el desarrollo de una personalidad equilibrada y madura, que permita al niño situarse en el mundo con honestidad.

Por el contrario, debemos crear un hogar donde exista una atmósfera tolerante en la que el niño se encuentre seguro, porque los límites, las normas y las consecuencias de sus comportamientos no cambian según el día o estado de ánimo paterno; donde sus deseos no sean siempre cubiertos, sino por el contrario negados cuando es necesario para que el niño aprenda a aceptar el «no» y a tolerar frustraciones; un entorno donde se le exija según su nivel y capacidades, para que vaya madurando con respecto a su desarrollo; donde los conflictos se resuelvan a través del diálogo y el lenguaje, donde los padres realicen una escucha activa y dejen opinar a sus hijos. En esta casa, el modelo y refuerzo que se recibe ayuda a una construcción y expresión positiva de la ira, ya que está posibilitando el desarrollo armónico e integral del niño, como punto de partida para la formación de una personalidad equilibrada (ver cuadro página siguiente).

Aunque en la mayoría de los casos sea cierto que las características ambientales, más que las biológicas, son las que determinan los comportamientos agresivos, sería injusto poner todo el peso del desarrollo de la agresividad en la familia. Debemos tener en cuenta que cuando el niño llega a la escuela, el educador o profesor y sus compañeros también entran a formar parte de los modelos a imitar. Posteriormente, en la adolescencia, el referente será su grupo de iguales o figuras relevantes de los deportes o la televisión.

Factores familiares que favorecen el desarrollo de una adecuada canalización de la ira
1. Los padres poseen un estilo educativo asertivo basado en el amor y comprensión del niño, que busca su madurez personal a través de la guía y el aprendizaje.
2. Los padres establecen unas rutinas y reglas coherentes con el entorno, el nivel evolutivo del niño y la propia dinámica familiar, que favorecen las conductas de obediencia, ya que el niño interioriza el límite y lo respeta.
3. Existe coherencia en la formulación de los límites que marcan ambos padres y en el cumplimiento de los mismos, independientemente de los requerimientos del niño o del estado emocional de los progenitores. De este modo son consistentes, y cuando deben reforzar o castigar lo hacen.
4. En los conflictos no se desbordan y exhiben conductas agresivas, realizando la resolución a través del diálogo y el consenso.
6. Los padres responden con calma ante los comportamientos infantiles, actuando como contención del niño y modelo de autocontrol para el mismo.
7. Las pautas de comunicación familiar se basan en la escucha y el respeto.
8. Los padres son sistemáticos y congruentes, lo que permite a los niños anticipar lo que va a ocurrir, generando por tanto un clima de seguridad y equilibrio.

Debemos también considerar que el mundo en el que se hayan inmersos nuestros hijos es un entorno cargado de información visual y auditiva muchas veces agresiva, que viene canalizada por los medios de comunicación: televisión, radio, periódicos, anuncios, películas, videojuegos, etc. De hecho, en ocasiones el impacto visual de una escena de violencia explícita donde el protagonista consigue sus objetivos puede ser mayor que las aportaciones que día a día transmiten al niño los adultos de referencia.

Creo que todos estaremos de acuerdo en que actualmente el prototipo de persona que prima en nuestra sociedad es alguien atractivo, rico, con seguridad en sí mismo y con cierto tinte de agresividad que le ayuda a conseguir lo que desea.

Pero si bien nosotros no podemos intervenir siempre, en la información que reciben nuestros hijos sí podemos; por un lado filtrarla, no dejándoles ver películas inapropiadas para su nivel evolutivo o no comprándoles videojuegos en los que el objetivo sea matar, luchar o conseguir las cosas por la fuerza; y por otro realizando una educación crítica en valores, donde la observación de la violencia sea cuestionada, y se puedan buscar otras alternativas más constructivas para la consecución de objetivos o resolución de problemas.

CRÍTICOS DE TELEVISIÓN

- Comentar con vuestros hijos cuáles son sus programas favoritos de televisión y por qué.
- Intentar identificar aspectos positivos y negativos de los mismos.
- Ver con ellos las películas, para poder hablar entre todos de determinadas escenas.
- Comentar anuncios o noticias que os llamen la atención, reflexionando sobre lo bueno o lo malo que poseen.
- Dialogar sobre hechos agresivos visualizados, reforzando lo negativo de los mismos y buscando otros comportamientos deseables que se podrían haber realizado.

10 ¿Qué debemos hacer ante las conductas agresivas de nuestros hijos?

Cuando nuestros hijos manifiestan expresiones emocionales de ira tales como gritar, pegar, romper u oponerse, lo más habitual es que les digamos «no gritéis», «no os peguéis», ... Pero tenemos que pensar que la partícula «NO» es una negación, y con ella pretendemos la paralización y/o eliminación de una conducta y, tal como veremos al hablar de los límites, si insistimos en el uso del «no» no ayudaremos a nuestros hijos a aprender qué deben hacer. Por otro lado, llega un momento que están tan acostumbrados a oírlos que parecen no escuchar y no surte efecto. Pero, ¿quiere esto decir que los padres no debemos utilizar el no? Por supuesto que no, ya que la negación es necesaria para que el niño crezca, madure y asuma que no puede obtener todo lo que desea. Lo que yo os planteo es que abusar de esta partícula negativa termina por perder su significado, restando eficacia a su utilización.

Además, acompañando al «no» solemos utilizar el castigo, aunque, como también veremos, el uso del mismo no siempre modifica los comportamientos de los niños. Por el contrario, en muchos casos aumenta su frustración y por tanto las reacciones agresivas, y sólo por el temor de ser castigado no realizarán la conducta.

Por todo esto, es fundamental que ante los comportamientos agresivos de los niños los padres utilicemos estrategias diferentes a las anteriores, para ayudar a los niños a manejar su ira. Ente ellas están el mantener el control, reflexionar con los niños y enseñarles a expresar y autorregular la ira. Veámoslas con más detenimiento.

1. **Mantener el control.** Ante la expresión emocional negativa de la ira es muy importante que los padres seamos capaces de controlar nuestra emoción, ya que, como hemos dicho antes, los niños suelen hacer lo que ven, no lo que decimos. El dicho de «haz lo que yo diga y no lo que yo haga» no sirve para los niños, ya que los padres somos ante todo modelos, y si nosotros cuando nos enfadamos con ellos no somos capaces de verbalizar «estoy enfadado» y actuar en consecuencia, sino que lo que hacemos es pegar a nuestro hijo o llamarle «tonto», es evidente que lo que le estamos enseñando es que el enfado se descarga a través de la agresividad verbal o física. Una vez que nosotros le demostramos al niño que, a través de la verbalización y una actuación coherente, pasado un tiempo el enfado desaparece, ellos lo perciben como una forma de expresión eficaz.

Para conseguir este objetivo es fundamental que nosotros seamos capaces de canalizar nuestra ira de forma progresiva y adaptativa. Es frecuente que nosotros, como adultos, contengamos nuestras emociones, que en muchos casos se quedan enquistadas, y nos producen rencor y resentimiento, exteriorizándolas no en el mejor momento ni con la persona adecuada. Normalmente no entendemos que nuestros hijos griten o lloren ante sucesos negativos, y tendemos a juzgarlos y a pedirles que se callen o repriman su estado emocional.

Si no permitimos que nuestros hijos exterioricen sus sentimientos y les pedimos que los anulen, vivirán su expresión como algo malo o negativo, y no aprenderán nunca a canalizar adecuadamente su ira. Por eso es importante que respetemos la exteriorización de su malestar, haciendo que reflexionen y recuperen la calma, para acercarnos a ellos con comprensión, escuchando activamente y dialogando sobre lo que ha pasado. Sólo de esta manera conseguiremos que los niños se expresen y nosotros podamos traducir y reconducir esos sentimientos que se producen, y poder así ayudarles a buscar otras alternativas para la expresión emocional.

Para poder mantener el control (como dicen «los entendidos») es bueno contar hasta diez, o hasta cien en algunos casos, antes de actuar gritando, pegando o castigando; si nosotros también nos alteramos, los niños que en ese momento necesitan la contención del adulto se pueden desajustar aún más, y sólo conseguiremos crearles inseguridad y baja autoestima.

Además, sólo si somos capaces de distanciarnos de nuestra propia emoción podremos mantener el control y realizar una buena observación del niño para ayudarle a elaborar sus sentimientos.

Al igual que en los niños trabajamos la modificación de los pensamientos, sentimientos y actuaciones, os propongo que hagáis lo mismo siguiendo el cuadro que aparece a continuación.

PARA MANTENER EL CONTROL		
Pensamientos	**Sentimientos**	**Actuaciones**
• Está expresando su ira. • Soy su modelo y debo hablar en un tono firme pero sin agresividad. • Está muy excitado, debo dejar primero que se tranquilice. • Si le grito o pego, voy a empeorar la situación.	• Tranquilidad.	• Contar hasta diez. • Respirar profundamente. • Pensar cómo se debe actuar. • Hablar en un tono bajo pero firme. • Si está muy excitado hacer extinción, o pedirle que se dirija al espacio destinado a la reflexión.

PARA MANTENER EL CONTROL		
Pensamientos	**Sentimientos**	**Actuaciones**
• Debo enseñarle a manejar su ira. • Es normal que esté enfadado; yo también lo estaría si me hubieran roto mi juguete favorito.		• Contener su ira, no desbordándote. • Pedir ayuda a tu pareja si ves que llega tu límite. • Esperar la calma. • Poner palabra a su emoción. • Reflexionar sobre cómo actuar la próxima vez.

2. **Observar a vuestro hijo, investigar y reflexionar sobre su comportamiento, para saber qué está pasando.** Es frecuente etiquetar comportamientos de los niños sin tener en cuenta factores como si están enfermos, cansados, si durante toda la tarde se le ha regañado, etc., y por supuesto sin valorar el tipo de comportamiento. No es lo mismo que nuestro hijo entre en casa dando un portazo y gritando: «¡Dejadme en paz!», a que esté insultando a su hermano porque le ha roto el castillo o esté pegando a su amigo porque no le deja su coche. Observar implica ver qué hace y saber por qué lo hace, para posteriormente tomar una decisión meditada al respecto.

Claves para la observación
1. Observar y escuchar activamente tanto el lenguaje verbal (lo que dice) como el no verbal (gestos, tono de voz, etc.). 2. Aislarnos de nuestra propia emoción siendo objetivos. 3. Valorar objetivamente la situación, no pensando en lo que ha pasado otras veces o en lo que sentimos, sino en lo que ha ocurrido. 4. Identificar el porqué del comportamiento del niño.

3. **Reflexionar con él sobre las causas de su enfado.** En el momento que el niño establece una relación directa entre motivos y conductas, comienza a analizar las situacio-

nes de una forma más eficaz y aprende a responder también de un modo más adaptativo. Cuando el niño no sabe qué es lo que le ha llevado a manifestar su agresividad se lo diremos. *«Luis, ya sé que estás enfadado porque mamá te ha dicho que es hora de ir a la cama y tú quieres quedarte viendo la televisión»*.

También es muy importante identificar los antecedentes del comportamiento, no sólo externos (me han insultado, no me da el coche, tengo que ganar...), sino también internos (hambre, cansancio, enfermedad, etc.).

Y finalmente, para que esta reflexión sea eficaz es importante y fundamental saber escuchar activamente a nuestro hijo. Esto implica que cuando nos hable prestemos atención a lo que nos dice y cómo no los dice, sin interrupciones ni cuestionamientos, para que se exprese libremente.

Es muy frecuente que cuando nuestros hijos nos hablan, si estamos haciendo algo les contestemos de manera automática, muchas veces sin saber qué nos están contando, pidiendo o preguntando, lo que nos lleva en ocasiones a otorgar cosas o afirmar que hemos escuchado, protestando posteriormente porque los niños hacen lo que nosotros les hemos permitido.

ESCUCHAR ACTIVAMENTE IMPLICA AGUDIZAR TODOS LOS SENTIDOS PARA SER CAPAZ DE PERCIBIR EL MENSAJE VERBAL Y NO VERBAL QUE NOS ESTÁ TRANSMITIENDO NUESTRO HIJO, INTERPRETANDO Y DESCIFRANDO LO IMPLÍCITO Y EXPLÍCITO DEL MISMO, COMO BASE PARA LA COMPRENSIÓN DE SU COMPORTAMIENTO. ES ATENDER A NUESTRO HIJO EN TODAS SUS DIMENSIONES: FÍSICA, EMOCIONAL Y PSÍQUICA.

Además de la escucha activa, es importante que cuando nos comuniquemos con ellos establezcamos un diálogo en el que todos podamos aportar nuestros puntos de vista. Para ello, no seremos tajantes, sino que les daremos opción a que intercambien ideas, dudas y expresen sus emociones y desacuerdos, para poder llegar a un punto común.

Puntos para establecer las causas de la conducta agresiva
1. Valorar si es un antecedente interno o externo.
2. Si el antecedente es interno, procurar paliarlo: que duerma, darle un analgésico, etc.
3. Escuchar activamente antes de responderles cuando nos hablan.
4. No juzgar desde nuestros parámetros de adulto: *«Sabe perfectamente que no puede comerse la galleta, ya estoy harto»*, e intentar trabajar la empatía: *«Se está retrasando la cena y puede tener hambre»*.
5. Ayudarles a asociar causa-emoción (no me das la galleta antes de cenar y me he enfadado; por eso grito y te insulto).

4. **Enseñarle las conductas adecuadas que le permitirán prevenir, canalizar y no utilizar la agresión verbal o física.** Para ello, si observamos que nuestro hijo cuando quiere algo va a otro niño y se lo quita sin más, o le pega, debemos ayudarle a utilizar otros comportamientos, tal y como aparece en el capítulo dedicado a las técnicas utilizadas para el control de la agresividad. Esto implica evaluar si el niño tiene las habilidades cognitivas y conductales que le permitan hacer frente a la situación que se le está planteando. Si no es así, deberemos dotarle de estrategias comunicativas y habilidades sociales, enseñándole cómo lo debe hacer, para pedirle, finalmente, que lo ejecute.

5. **Insistir en que utilicen el lenguaje**. Es de crucial importancia que los niños utilicen la palabra para expresar su ira. El hecho de que un niño diga *«estoy enfadado»* significa que ha identificado la emoción, que es un primer paso para expresarla adecuadamente. Cuanto más pequeño sea el niño más deberemos ayudarle a utilizar el lenguaje: *«Rosa está enfadada porque su mejor amiga la ha insultado»*. Está comprobado que los

niños, cuando se les enseña, aprenden enseguida a utilizar el lenguaje emocional, sustituyéndolo por las conductas expansivas.

6. **Medir la información que damos al niño sobre su comportamiento.** En este punto es importante tomar conciencia del tipo de lenguaje que nosotros, como padres, utilizamos al dirigirnos a los niños cuando han exteriorizado su ira. Es frecuente usar expresiones en segunda persona, como *«eres malo por pegar a Luis»*, *«si sigues así acabarás muy mal»*, *«eres insoportable y ya no te aguanto»*. Todas estas verbalizaciones se refieren a una calificación global y estado permanente del niño: «ERES...», y sin duda atacan a la imagen y autoestima del niño. Por eso es fundamental que aprendamos a enviar mensajes en los que no apliquemos una valoración general del niño, que lleve acarreado un juicio de valor y una etiqueta. Por el contrario, debemos utilizar frases como *«El hecho de que hayas roto el camión de tu hermano le ha puesto muy triste y significa que no podréis jugar más con él»*, *«Hoy estás cansado y por eso no tienes ganas de hacer nada, pero es importante que termines de hacer los deberes para llevarlos mañana al colegio»*. El que se rompa un camión o nuestro perfume favorito, que son objetos materiales, no debe implicar un malestar tan significativo como para que le regañemos de tal forma que pierda la confianza en sí mismo, merme su autoestima o le haga guardarnos rencor por faltarle al respeto. Por eso tenemos siempre que medir lo que decimos y cómo lo decimos, para que la seguridad de nuestros hijos no disminuya, ni tampoco la confianza y el amor que deben saber que les tenemos.

Enunciado global en segunda persona
Ejemplo: «¿Todavía no te has vestido? Siempre estamos igual, eres un lento y un vago y por tu culpa voy a llegar tarde a trabajar. No puedo soportarte más».

Cómo hacer enunciados en primera persona
— Describir y expresar objetivamente la conducta. — Indicar las consecuencias que tiene. — Incluir el sentimiento que os provoca cuando lo creáis necesario. — Explicar la conducta deseada. — Comentar las consecuencias beneficiosas que tendría el cambio deseado. Todo ello debe realizarse con objetividad y serenidad, usando un tono y volumen de voz apropiados y un lenguaje verbal que apoye a nuestras palabras sin resultar agresivo. Ejemplo: «El hecho de que no te hayas vestido todavía implica que voy a llegar tarde a trabajar y por eso estoy enfadada. Si mañana estás vestido a tu hora, llegaré antes al trabajo y podré llegar pronto a casa para que juguemos juntos».

7. **Ser justos con ellos.** En muchas ocasiones, aunque somos conscientes de que no se debe utilizar la violencia física, debido a nuestro estado emocional o a un cúmulo de circunstancias ambientales se nos puede escapar una bofetada. Si después somos capaces de reconocer que lo hemos hecho mal, y pedimos disculpas a nuestros hijos por haber perdido el control, reconociendo que esa no es la mejor forma de expresar la ira y resolver el problema, nos convertimos en modelo de rectificación y demostramos a nuestros hijos que reconocer el error no nos hace peores y que es algo que debe hacerse cuando uno se equivoca. Además, no por ello perdemos autoridad, sino que, muy al contrario, ganamos respeto.

A continuación os mostraré un ejemplo que ilustra una disputa entre dos niños y cómo podemos abordarla.

Pedro y Ana están en el parque jugando con la arena. Pedro quiere la pala, pero cuando va a cogerla Ana no se la deja. Entonces Pedro va a quitársela, y Ana le golpea con la pala en la cara. A partir de aquí aparecen llantos y gritos, y los padres acudirán con prontitud, consolando unos, reprochando otros y castigando la mayoría. Si el padre los castiga y se va del parque, los niños no aprenderán nunca cómo actuar correctamente.

La actuación paterna podría ser:

Padre: ¿Qué ha ocurrido?

Pedro: Que Ana me ha dado con la pala en la cara.

Ana: Sí, porque tú me la querías quitar.

Padre: Vamos a sentarnos y hablar. Pedro, ¿por qué le querías quitar la pala a Ana?

Pedro: Porque no me la quería dejar.

Padre: ¿Cómo le has pedido la pala?

Pedro: No se la he pedido, la he cogido.

Padre: No crees que deberías haber dicho: «por favor, ¿me dejas la pala?».

Pedro: ¡Sí, pero no me la quería dejar!

Padre: Eso no lo sabes, porque no la has preguntado. ¿Cómo te has sentido cuando Ana no te ha dejado la pala?

Pedro: Mal, por eso la he cogido.

Padre: Estabas mal porque te sentías enfadado, porque Ana no te daba lo que tu querías. ¿Tú cómo te sientes cuando alguien te quita algo sin preguntar?

Pedro: Muy enfadado.

Padre: ¿Crees que ha estado bien quitar la pala a Ana sin preguntar?

Pedro: No.

Padre: Y tú, Ana, ¿por qué no le has dejado la pala?

Ana: Porque yo estaba jugando con ella.

Padre: ¿Cómo te has sentido?

Ana: Muy enfadada, porque me ha quitado la pala.

Padre: ¿Crees que era necesario pegarle?

Ana: Sí, porque es malo y me fastidia todo el tiempo.

Padre: ¿No crees que podías haberle dicho a Pedro: «Pedro, deja mi pala que yo estoy jugando ahora. Luego te la dejo».

Ana: Sí, pero se la hubiera llevado.

Padre: Ana, ¿a ti te gusta que te peguen?

Ana: No.

Padre: ¿Por qué?

Ana: Porque me duele y me siento mal.

Padre: Pedro. ¿Qué debes hacer la próxima vez?

Pedro: Pedir permiso para coger la pala, y si no me la deja jugar con otra cosa.

Padre: ¿Y tú, Ana?

Ana: Dejarle la pala, y si me la quita sin más decirle que la deje.

Padre: Creo que deberíais pediros perdón y daros un beso. Y ahora, jugad los dos juntos con lo que tenéis. Pedro, recuerda que hay que aceptar que no siempre obtenemos lo que queremos, y que el mundo y los demás no tienen por qué satisfacer nuestras necesidades, y no por eso tenemos que pegar. Y tú, Ana, piensa que compartir las cosas y jugar juntos es mucho más divertido. Los dos debéis pensar que agrediendo y no respetando al otro habéis empeorado las cosas y no habéis solucionado nada.

Es evidente que hacer lo anterior supone mucho esfuerzo para los padres, en tiempo y en paciencia, pero sólo así los niños aprenden las conductas adecuadas, y a medio y largo plazo se obtienen resultados positivos.

Al ofrecer alternativas a los comportamientos y conductas no sólo evitamos reacciones negativas antes diversas situaciones, sino que también les ofrecemos los modelos adecuados para enfrentarse a ellas y preservamos su autoestima, al no tener que negar su emoción o sentirse malo por tenerla.

Es fundamental que los niños aprendan a expresar y aceptar emociones como el miedo o la ira, para que no vivan éstas como algo malo que deben erradicar.

Sólo a través de la expresión emocional el ser humano se libera y vuelve a equilibrarse emocionalmente. Si reprimimos la emoción y la bloqueamos en nuestro interior, produciremos desajustes en nuestra estructura personal.

Puntos para vuestra reflexión

- ¿Cómo expreso yo mi ira?
- ¿La expreso igual ante mi hijo que ante una persona que no conozco?
- ¿Por qué me molestan tanto las expresiones de ira de mis hijos: llantos, gritos, peleas?
- ¿Me pongo en el lugar del otro cuando respondo agresivamente? ¿Identifico las emociones del otro?
- ¿Por qué mi hijo genera ira en mí?

11 Técnicas y estrategias para crear una expresión positiva de la ira

Después de hacer un repaso teórico-práctico sobre qué es la agresividad y cómo debemos actuar los padres, a continuación os voy a presentar técnicas que se les pueden enseñar a los niños para manejar su ira, ayudándoles a canalizarla correctamente.

No obstante, es muy importante que tengáis en cuenta que las técnicas que aparecen a continuación no siempre son eficaces para todos los niños, ni para todos los padres, debiendo tener siempre en cuenta factores como la edad del niño, que va a condicionar por ejemplo la aparición de las rabietas a los dos años, o que no podamos utilizar técnicas que impliquen el uso de un lenguaje elaborado si el niño no lo posee.

1. Pautas generales a tener en cuenta

Antes de empezar a trabajar con los niños hay que tener siempre presentes las características de lo que es un niño, que nos ayudarán a entender que:

El niño está en proceso de aprendizaje. Recuerdo esto porque una de las mayores fuentes de conflicto en casa y de generación de la ira en los adultos es que el niño se equivoque, cometa errores y éstos impliquen molestias en nosotros. Cuántas veces he oído a los padres decir que dan de comer a su hijo de tres años porque si lo hace solo se mancha. Entonces tienen que regañarle por no ser cuidadoso con las cosas, y eso retrasa la comida y hace que haya que limpiar más. En otros casos, no dejamos al niño que se suba al tobogán o salte desde el último peldaño de la escalera por miedo a que se caiga. Creo que todos podemos pensar en cientos de ejemplos como éstos, que sin duda generan ira en los niños y también en nosotros. Si creemos que los niños deben hacer las cosas bien a la primera y que no pueden ensuciarse cuando aprenden a comer o dibujar, estamos cometiendo un gran error y estamos actuando contra la naturaleza del ser humano, que en su proceso de aprendizaje necesita practicar y equivocarse para aprender. No creo que ninguno de nosotros piense que cuando un adulto se sube a un coche por primera vez va a ser capaz de conducir perfectamente sin ayuda con tan sólo una clase de 45 minutos. Todos tenemos claro que es necesario un aprendizaje y que nuestro profesor nos lo explique bien, nos anime cuando lo hacemos mal y que, por supuesto, no nos llame inútiles y nos quite el volante cuando nos equivocamos, porque así no aprenderemos nunca. Pues bien, si queremos que nuestro hijo no se manche cuando está aprendiendo a comer, que no se le caiga el vaso de agua o que no abra los cajones y saque todo cuando tiene dos años, estamos favoreciendo la ira en nosotros y provoca que regañemos al niño por conductas que son inevitables durante su desarrollo. Además, no les dejamos aprender realizando por ellos mismos la tarea, impidiendo así que sean autónomos y eficaces, lo que les generará ira y que nos digan en muchas ocasiones «yo solo» y se enfaden.

Es fundamental que los padres tengamos claro que los niños están en constante aprendizaje, y que si no estimulamos el mismo retrasaremos su maduración y por tanto su autonomía, favoreciendo tanto la ira en el niño como en el adulto cuando deba poner en marcha habilidades que quizá no hayan desarrollado.

Por eso tenemos que ser pacientes con los niños, enseñándoles con cariño y disciplina, y sin olvidar que nosotros también aprendemos a diario y no nos gusta que nos infravaloren o nos quiten de hacer algo que a lo mejor no está perfecto, pero que podemos perfeccionar si nos dejan.

Para que los niños aprendan y conozcan el entorno deben moverse y jugar. Quizá una de las frases que más utilizamos como padres es *«¡Estate quieto ya!»,* cuando en muchas ocasiones la situación requiere saltar, correr y divertirse. El único problema está en que nosotros no toleramos estos comportamientos por lo molestos que son, ya que suelen interferir con nuestras necesidades. Si los niños están alborotando porque están jugando y divirtiéndose mientras nosotros intentamos hablar con otro adulto, su conducta está obstaculizando nuestra comunicación; estos nos genera ira y hace que reaccionemos y regañemos a los niños, que se estarán quietos tan sólo unos minutos. En muchos casos, cuando coartamos a nuestros hijos diciéndoles que paren quietos, que se callen o que dejen de hacer ruido, en muchos casos lo hacemos no por lo inadecuado de su conducta, sino por el malestar que produce en nosotros.

Como experta en infancia, y como madre, os diré que sólo es necesario que observéis unos minutos las expresiones de vuestros hijos mientras juegan en el parque, olvidando vuestro estatus de adulto tranquilo, responsable y sosegado, para llegar a entender que la actividad es en sí misma una parte integrante de su desarrollo. Por eso os invito a que cerréis los ojos y penséis en vuestra infancia. Muchas imágenes acudirán a vuestra mente, pero sin duda en las más gratificantes apareceréis corriendo, saltando y riendo, y acompañando a estos retratos el sentimiento de libertad.

Como madre trabajadora, creo que el mayor problema que tienen nuestros hijos es que sus espacios y tiempo de juego realmente libre se han reducido notablemente, sobre todo en las ciudades, ya que debido a las cargas laborales que soportamos los padres, así como al abundante número de actividades extraescolares que hacen los niños, el tiempo que poseen para moverse libremente es mínimo, factor que en sí mismo es a veces causa de los comportamientos reactivos y agresivos de los niños, que no han podido en muchos casos canalizar a través del juego y el movimiento toda la energía que llevan dentro.

Vivimos en un mundo lleno de prisas y actividades, donde el pararse y dejar que los niños se desarrollen y manifiesten como son está en contra de los objetivos que fijamos los adultos. Los padres olvidamos el presente y el niño que tenemos en casa, planificando un futuro que cambia tan rápido que seguro que cuando nuestros hijos sean mayores tendrán que seguir aprendiendo para ajustar sus conocimientos al medio. Estamos haciendo que nuestros hijos vivan en el mundo del conocimiento y la cognición; por eso les apuntamos a informática, inglés y música desde que son muy pequeños, olvidando que el desarrollo integral del individuo tiene otras esferas como la autonomía personal, el desarrollo social y físico, las habilidades manipulativas, el desarrollo del lenguaje y la comunicación eficaz, y por supuesto la expresión emocional. Esta merma que estamos realizando de las áreas evolutivas infantiles, intentando desarrollar antes de tiempo algunas como la inteligencia, en detrimento de otras como la motricidad, produce un gran desequilibrio en los niños que, como ya os he indicado, necesitan el movimiento para conocer su cuerpo, sus posibilidades y el mundo que les rodea.

Con esto no os quiero decir que no conduzcamos y canalicemos las energías de nuestros hijos y les ayudemos a dosificarlas, para que aprendan a tener un nivel de actividad adecuada según la situación en la que se encuentren. Lo que pretendo es que entendáis que muchas veces el tiempo de expansión y actividad de los niños se ve reducido al tiempo de recreo en la escuela y a la hora que pasamos en el parque con ellos cuando hace buen tiempo y nuestras obligaciones nos lo permiten, y que este tiempo, la mayoría de las veces insuficiente, también se ve limitado en el hogar cuando les pedimos que no griten y jueguen tranquilos para no molestar.

> Debemos permitir que los niños resuelvan su nivel de actividad a través del movimiento y la actuación. Cuando estamos controlando su conducta pidiéndoles que se estén callados y sin moverse durante una o dos horas, estamos yendo contra la naturaleza del ser humano en desarrollo, cuya necesidad, sobre todo en sus primeros años de vida, es moverse para conocerse a sí mismo y al entorno a través de la experimentación y el movimiento.

Es importante que, a partir de ahora, antes de mandar callar al niño o pedirle que se esté quieto, reflexionéis sobre todo lo que habéis leído, para determinar si esa orden es realmente necesaria. Estoy segura de que si lo pensáis llegaréis a la conclusión a la que llegué yo hace ya unos años con respecto a los comportamientos de los niños: hay que tolerar muchas veces comportamientos, que si bien no se ajustan a nuestros parámetros de adulto, no son en ningún caso malos o nocivos, por lo que se deben tolerar e incluso en algunos casos incentivar.

Recuerdo que hace unos años mi hijo se enfadó mucho conmigo, no recuerdo muy bien porqué, y me hizo la siguiente pregunta: «¿Y yo cuándo voy a poder jugar? Tengo muy poco tiempo para jugar y divertirme, y cuando lo tengo me pedís que lo haga quietecito y en silencio para no molestar; no es justo». Mi hijo, y otros muchos niños, tienen toda la razón del mundo, pues es muy frecuente que en nuestro quehacer diario olvidemos lo importante que es para los niños el juego y el movimiento, lo que nos lleva a no darnos cuenta de lo necesario del mismo. Unos años después mi hija también me recordaba: «Queréis que en clase estemos en silencio y callados, que cuando lleguemos a casa sigamos sentados para hacer los deberes, que comamos sentados y sin levantarnos, que veamos la tele tranquilos, y no nos dejáis libres ni un solo momento». Esa libertad a la que se refieren tantos niños es simplemente el permitirles saltar, correr, subir, bajar y moverse por el placer de hacerlo. Esta libertad no se la podemos dar muchas veces porque el entorno físico en el que se mueven es contrario a la misma, por lo que es necesario posibilitarles espacios donde puedan descargar toda su energía motriz y experimentar su cuerpo en movimiento.

La curiosidad es innata al ser humano, y en la infancia se erige como un factor determinante para el aprendizaje y la construcción del conocimiento. Por eso los niños tienden a tocarlo todo, experimentarlo todo y vivenciarlo todo. La curiosidad lleva a la experimentación, porque ésta es la base del aprendizaje y del descubrimiento del mundo que los rodea. Siendo curiosos, se abre ante ellos un mundo lleno de posibilidades que les ayuda a desarrollar su inteligencia. De hecho, aprende más leyes físicas un niño experimentando con el grifo monomando del lavabo que con un programa de ordenador.

Además, la curiosidad que manifiestan los niños cuando son pequeños es la base de la motivación intrínseca hacia el saber. Si nosotros dejamos a nuestro hijo que experimente (dentro de los límites razonables para su seguridad), y le ofrecemos estímulos y situaciones que desplieguen su curiosidad, estaremos ayudando a crear en él la satisfacción de aprender e investigar el cómo y el porqué de las cosas, y por extensión estaremos fomentando en él la motivación hacia el conocimiento.

Muchas veces, y debido a la curiosidad y afán de experimentación que tienen los niños, los padres no entendemos el uso que hacen de las cosas, produciendo sus comportamientos malestar en nosotros. Todavía recuerdo cuando le compramos a nuestro hijo un estupendo trineo que estábamos deseando estrenar con él en la nieve. Teníamos la cámara preparada para fotografiarle tirándose por la cuesta, cuando atónitos observamos que se sentaba en el suelo y se ponía a llenarlo de nieve, para posteriormente tirarlo y observar cómo bajaba. Esta misma operación la repitió varias veces. No os voy a negar que tanto mi marido como yo estábamos desilusionados y algo enfadados, porque nuestras expectativas no se habían cumplido, ya que la función de un trineo es que el niño se tire y se divierta. Así se lo comunicamos a nuestro hijo, y él nos dijo que se lo estaba pasando fenomenal comprobando que cuanta más nieve ponía, el trineo iba más despacio, y que no entendía por qué el trineo sólo podía servir para que él se deslizara. Realmente tenía razón, y tengo que deciros que ese trineo sirvió para muchos otros juegos y que se rompió de tanto disfrutarlo. Creo firmemente que mi hijo ha aprendido y experimentado más leyes físicas con su trineo que con los conocimientos que puedan estar escritos en su libro de texto.

La creatividad es uno de los pilares de la infancia. ¿Cuántos de nosotros nos hemos molestado porque nuestro hijo ha sacado el «superjuguete último modelo», no lo ha utilizado y con su caja y unas pinzas de la ropa ha hecho un coche? Creo que prácticamente todos. Por eso es también fundamental tolerar e incluso fomentar esta característica tan importante en los niños, que vamos a utilizar sobre todo en la resolución de problemas.

Recuerdo un día en que al entrar en el salón de mi casa mis hijos habían movido los sofás, la mesa y las sillas, y con unas sábanas habían construido un castillo en toda regla. Cuando como madre ves eso, y piensas en todo lo que te espera después, y en todo lo que tienes que hacer todavía, la fuerza interna de la ira comienza a actuar y lo primero que se te pasa por la cabeza es gritar, regañar y mandar recoger inmediatamente. Pero si cuentas hasta veinte, observas la ilusión en su cara y escuchas cómo han creado el foso, las habitaciones del rey y la sala del tesoro, seguro que les darás otra manta vieja para que puedan hacer mejor el techo de las caballerizas.

La creatividad y la imaginación nos permiten hacer posibles cosas que no lo son. Este factor ha posibilitado que el mundo evolucione y que se produzcan los descubrimientos. No obstante, nosotros los adultos tendemos a ir eliminándolas poco a poco. De hecho, cuando los niños son pequeños y colorean de varios colores las frutas o verduras de un dibujo, les insistimos diciéndoles que los limones son amarillos y los tomates rojos, y que los colores deben combinarse correctamente. Esto choca con la realidad, ya que todos sabemos que actualmente los diseñadores de moda o las tendencias que existen crean neveras rosa fucsia, trajes de novio blancos y rosas, y los inodoros bien decorados y pintados se convierten en obras de arte.

Hay que dejar que los niños creen e imaginen, aunque por ello sean algo más desordenados y ruidosos, ya que estos factores ayudan a construir una personalidad fuerte y segura, donde el niño puede expresar hasta las cosas más asombrosas, y perderá el miedo a la crítica. Siempre es más positivo perder quince o veinte minutos recogiendo con ellos, que perderlos insistiendo en que apaguen la televisión o dejen de jugar al ordenador.

Es fundamental también tener presente **la personalidad del niño a la hora de afrontar las situaciones**. Como ya he comentado, el temperamento es un factor importante a tener en cuenta, pues además hay niños más llorones, otros más callados, algunos muy tozudos, etc. Estos factores también deben condicionar la forma en la que les ayudemos a encauzar o canalizar su ira, ya que el niño que es muy llorón, cuanto más le insistamos en que deje de llorar más tarde lo hará; y el tozudo, cuanto más te enfrentes a él, más se afirmará en su posición y más insistirá en sus deseos. Por eso lo mejor es prevenir, y cuando veamos que se está poniendo muy cabezota, en lugar de buscar el enfrentamiento frontal procurar que cambie de idea. El saber cómo es la personalidad de los niños nos permite en ocasiones anticipar su conducta y saber cómo debemos actuar ante ella.

Y por último, y no menos importante, hay que **saber reflexionar sobre cómo es nuestra personalidad**. De hecho, muchos conflictos que surgen en el hogar se deben a discrepancias de carácter con nuestros hijos, ya que también nosotros tenemos diferencias individuales que nos llevan a manifestarnos de una manera determinada. De este modo, si nosotros somos algo nerviosos y queremos las cosas en el momento, tendremos mayor conflicto con nuestro hijo si éste es muy lento y tarda en realizar las tareas. Este hecho se da con mucha frecuencia en los hogares y supone una de las mayores causas de conflicto. Nosotros los padres tenemos siempre prisa por llegar a trabajar o por ir a hacer la compra, y nuestra paciencia suele ser poca. Deseamos que los niños respondan inmediatamente, y cuando no lo hacen les gritamos y regañamos por ello. Yo he comprobado que, muchas veces, si eres capaz de contar internamente hasta diez o quince, según el tiempo de cada niño, la respuesta se da sin que tengamos que enfadarnos.

También debemos pensar en la influencia que ha tenido en nosotros la educación que nos han dado nuestros padres, para bien o para mal, y cómo tendemos a evitar aquellas cosas que no nos han gustado de ellos, o a utilizarlas cuando, a pesar de saber que no son apropiadas, creemos que sí son eficaces.

2. Metodología

Todas las técnicas que a continuación os presento se basan en dos principios fundamentales en la infancia:

1. La actividad principal de los niños es el juego.
2. Los niños aprenden a través del juego.

Todos los padres somos conscientes de que nuestros hijos pasan horas y horas jugando desde que son muy pequeños, y que a través del juego aprenden a compartir, esperar el turno, relacionarse con otros niños, aceptar la frustración de perder, compartir la alegría de ganar, iniciar conversaciones, controlar la ira, manejar la ansiedad y el miedo o responder a las críticas de los demás. Un ejemplo de juegos muy populares que ayudan a trabajar las actitudes anteriormente citadas son la oca, el parchís o juegos de cartas como el chinchón o la escoba.

No obstante, también hay que tener presente que los adultos reforzamos e inculcamos en muchos casos creencias como «el que gana es el mejor», «hay que hacer cualquier cosa para ser el primero», «debes aprender a ser como el mejor de tu equipo», etc. A través de esta información que damos los adultos, conseguimos muchas veces que un juego que puede fomentar actitudes de convivencia positiva se convierta en una batalla campal donde el otro equipo es nuestro enemigo, y nos lleva a utilizar cualquier medio que nos permita ganar. La interiorización de estas creencias es lo que nos lleva a desconfiar de los demás, a no compartir nuestras ideas por miedo a que nos las quiten, a no hacer elogios a los otros por miedo a que piensen que son buenos, etc.

De hecho, es en los juegos donde los niños suelen manifestar de una manera abierta su forma de respuesta social. Así, el niño agresivo va a manifestarse invadiendo el espacio de los otros, incumpliendo las normas si es preciso o golpeando a los demás. Por el contrario, el niño inhibido se mostrará retraído en las interacciones y evitará los conflictos.

El concepto de juego que debemos utilizar y fomentar los adultos se debe referir a la implantación y creación de actitudes sociales positivas que permitan a los niños crecer en la cooperación y la convivencia positiva. Como veréis, los juegos y actividades que os presento se alternarán con estrategias que os recomiendo para guiar los comportamientos, como son el establecimiento de límites, la expresión de emociones, fomentar la empatía, ayudar a la resolución de problemas, etc.

Además, os propongo utilizar el método socrático, es decir, la realización de preguntas por parte de los padres a sus hijos para ayudarles a reflexionar sobre lo que han hecho y cómo deben modificar sus pensamientos y actuaciones para tener unas habilidades de afrontamiento eficaz. Este método favorece además la autonomía y la independencia de los niños. Es muy frecuente que a los niños, cuando hacen algo, les digamos lo que ha pasado, lo que ha implicado, y les digamos lo que tienen que hacer la próxima vez, obviando que las vivencias y los entornos de nuestros hijos muchas veces no los controlamos. Por ejemplo, es muy frecuente que les digamos: «Te has caído porque vas como loco, mira bien la próxima vez». Esto, aunque se lo repetimos continuamente, pocas veces surte efecto, porque implica la autorregulación externa y la espera de que el adulto diga al niño lo que tiene que hacer (*«cuidado con el escalón»*), cuando casi siempre es demasiado tarde. Por el contrario, si en lugar de explicar obviedades les preguntamos: «¿por qué te has caído?», estaremos llevando al niño a tomar conciencia del por qué, lo que implica un proceso interno de investigación y descubrimiento en el que la piedra, el escalón o la velocidad en la carrera tomarán relevancia en la causa de la caída. De esta forma, nuestros hijos se convertirán próximamente en sujetos activos que perciben las características del entorno para evitar los peligros y autorregularse correctamente.

Para trabajar las técnicas que aparecen a continuación os recomiendo que seáis creativos y modifiquéis las propuestas de acuerdo con las necesidades de vuestra familia, si bien tenéis que tener en cuenta que no debéis modificar el núcleo central de las mismas para no cambiar los objetivos.

Otro factor a tener en cuenta cuando os propongáis el cambio es que hay que ser sistemático y no correr. Normalmente tenemos muchas prisas por modificar el comportamiento de los niños en dos días, cuando nuestros hijos y nosotros mismos lo tenemos instaurado desde hace muchos años. Por estos motivos, debéis:

— No desanimaros aunque al principio vuestro hijo no cambie todo lo que esperábais, o si el cambio se ha producido muy rápido inicialmente y en algún momento vuelve hacia atrás. Esto no implica que tengáis que volver a utilizar los métodos que sabéis no han funcionado.
— No hay que reprimir o intentar que la emoción no aparezca para que no surja el conflicto, ya que, como hemos indicado, es importante que vivencien y expresen su emoción, porque es positiva.
— No querer ir muy rápido, porque eso nos estresa a nosotros y también a los niños. Esta inquietud nos llevará

además a no ser capaces de aplicar correctamente las técnicas.

Técnicas y estrategias para crear una expresión positiva de la ira
— Identificar pensamiento, emoción y conducta. — Establecer normas claras, que ayuden a los niños a autorregular su conducta. — Enseñar y reforzar comportamientos incompatibles con la agresividad. — Desarrollar la empatía. — Aprender a rectificar y pedir perdón. — Aprender a resolver problemas. — Desarrollar estrategias de autocontrol. — Fomentar la autoestima positiva.

3. Identificar pensamiento, emoción y conducta

Antes de hablar de estrategias para crear una expresión positiva de la ira, el niño debe tener claro que lo que hace (llorar, gritar o pegar) es consecuencia de una emoción que es la ira, que se gesta a partir de sus pensamientos, por lo que hay que seguir los siguientes pasos antes de proponerse cualquier actuación.

Pasos para trabajar la identificación de los pensamientos, sentimientos y actuaciones en los niños
1. Identificar las señales que nos indican que tienen ira: — Cognitivas. — Fisiológicas. — Motores. 2. Asociar emoción-palabra. 3. Identificar pensamiento-sensación-conducta, para modificar la inadecuada. 4. Implantar un adecuado sistema de identificación-autorregulación y expresión, según las estrategias que se explican más adelante.

Cuando los niños manifiestan agresividad, es importante que vosotros, como padres:

1. ***Identifiquéis las señales de vuestros hijos cuando tienen ira.***

- *Pensamientos:* «siempre está haciendo trampa», «lo más importante es ganar cueste lo que cueste», «no es justo que tenga que hacer ahora los deberes», «esta norma es una tontería y no pienso hacerlo», etc.
- *Señales corporales:* ponerse colorado, dolor de cabeza, tensión muscular, etc.
- *Actuaciones:* gritar, pegar, apretar los dientes, tirarse al suelo, decir que no, romper cosas, etc.

2. ***Ayudéis al niño a asociar emoción-palabra:*** a través del establecimiento de la relación entre las señales anteriores con la ira, para que acabe verbalizando *«estoy enfadado»,* que es el primer paso para analizar, resolver y enfrentarse a las situaciones.

3. ***Ayudéis al niño a identificar pensamiento-sensación-conducta y asociarlas con la ira.*** Este aspecto es fundamental para que los niños y los adultos podamos modificar

el o los factores, de todos los anteriores, que está significando que la expresión de la ira es inadecuada.

Hay veces que los niños no son conscientes de por qué se ponen como lo hacen. De hecho, hay veces que le pregunto a mi hija por qué se pone así y me dice que no sabe. Entonces hay que explicarle con calma y paciencia, tal y como ya hemos indicado: «Tu quieres seguir jugando, y como te he pedido que recojas tu cuarto te has enfadado y por eso me has gritado». Para trabajar más profundamente todos estos parámetros, se describen más adelante diferentes técnicas y estrategias.

Juegos y actividades		
Pienso-siento-hago		
Recortar cartoncitos pequeños, en los que debéis hacer una secuencia como la que aparece a continuación. No debéis poner si es pensamiento, emoción o actuación. Podéis hacerlos con diferentes emociones.		
PENSAMIENTO	EMOCIÓN	ACTUACIÓN
Quiero seguir jugando.	Enfadado.	Grito, me niego a obedecer, insulto a los demás y me quedo jugando.
Estoy harto de tener que poner siempre la mesa.	Enfadado.	Lloro y me quejo.
Hay que llegar pronto al cole porque tengo un examen.	Nervioso.	Me doy prisa y desayuno.
Cuando tengáis las tarjetas, revolverlas y jugar con el niño a que las estructure siguiendo la pauta. Empezar de una en una, y cuando tenga el concepto adquirido podéis revolverlas para que ordene cada una de las situaciones.		
Con las tarjetas anteriores podéis jugar con ellos a buscar: — Pensamientos (cabeza). — Emociones (un corazón). — Actuaciones (las manos o los pies). Podéis utilizar dibujos para que lo asocien según la parte del cuerpo que aparece entre paréntesis.		
Sacar una tarjeta cualquiera, para que el niño identifique a qué corresponde. Por ejemplo, si es una emoción pedirle que identifique qué ha pensado antes, y qué va a hacer después de sentir dicha emoción.		

CUENTO
DINA la rana. M.ª Victoria Herreros Rodríguez. Ediciones Universitarias de Barcelona. En este cuento se establece la importancia de identificar la emoción y de verbalizarla, para posteriormente poder actuar eficazmente.

4. Establecer normas claras que ayuden a los niños a autorregular su conducta

Sin lugar a dudas, y tal y como ya hemos comentado, el desarrollo de nuestros hijos se cimenta en el amor de los padres, que posibilita al niño el sentirse querido. No obstante, tan importante como el cariño es la fijación de una normativa clara que ayude al niño a madurar a través de la interiorización de valores que le posibiliten autorregular su comportamiento.

Si os planteo los límites como primera técnica es porque una de las mayores fuentes de conflicto que tenemos en el hogar con nuestros hijos son las disputas que surgen por el no cumplimiento de las normas establecidas en casa o por la no obediencia ante los requerimientos del adulto, que implican en muchos casos reacciones agresivas por parte de los niños (gritos, llantos, golpes, etc.), y en ocasiones también del adulto, que a largo plazo gesta problemas importantes de convivencia en la familia y un alto nivel de estrés, que es un caldo de cultivo para generar la ira y que ésta se manifieste inadecuadamente. Además, a medida que crecen los niños comprobaréis que sus reacciones ante la autoridad serán mayores, así como el aumento del uso de la mentira para evitar el castigo.

Estos comportamientos, a su vez, llevan a los padres a utilizar una disciplina cada vez más férrea y a utilizar el castigo como método educativo y de aprendizaje, para que se cumplan las exigencias marcadas, lo que suele aumentar con el tiempo las reacciones agresivas de los niños, eliminando la eficacia del castigo, que sirve sólo para rebajar o extinguir conductas inadecuadas, pero no para implantar las correctas.

En otras ocasiones, el cansancio y la desesperación hacen que dejemos pasar el que los niños no obedezcan o cumplan las normas; esto hace que vivan las mismas como inconsistentes y no les den el valor y la significación que tienen. Una norma que unas veces se ven obligados a cumplir, pero que en otras ocasiones se pueden saltar sin que ocurra nada, no puede ser interiorizada. Además, suele producir mucha inseguridad en los niños y a veces bastante agresividad, porque no entienden por qué si ayer no pasó nada por no quitar la mesa, hoy sus padres se ponen hechos una fiera y le castigan sin videojuego. Como veremos más adelante, la coherencia en los límites es uno de los pilares en los que se deben asentar, para que su cumplimiento se lleve a cabo.

Si logramos que los niños interioricen y asuman una serie de normas, éstas van a impedir que surjan conductas expansivas hacia el medio, porque los niños habrán aumentado su tolerancia a la frustración, habrán creado normas internas que comprenden y aceptan, y por supuesto no verán en el adulto al «enemigo», que siempre le dice cien veces lo que tiene que hacer y le fastidia cuando mejor se lo pasa.

¿Qué son los límites?

Los límites son reglas que se fijan y ayudan a los niños a comportarse, ya que les posibilitan un marco de referencia estable para discriminar qué y cómo deben hacer las cosas para autorregular su conducta al saber qué deben hacer y qué no deben hacer, así como qué consecuencias tendrá su conducta.

Establecer unos límites precisos facilita, fomenta y ayuda al niño a la emisión de conductas adecuadas en mayor medida, y tiende a inhibir conductas inaceptables que le permiten autorregular su comportamiento. Además, el aprender a cumplir y asimilar límites en el entorno familiar es la base para la aceptación de las normas sociales.

Un sistema de normas estables, aplicadas con amor y de modo consistente, va a permitir al niño predecir las consecuencias de sus propios actos y le ofrece la seguridad de saber a qué atenerse en cada momento. Este hecho repercute directamente en la autorregulación de su comportamiento, al darle información sobre los resultados que conllevan sus acciones. Todo ello facilita que el niño se sienta capaz de enfrentarse adecuadamente a situaciones similares, y así elabora una imagen positiva de sí mismo.

En cambio, cuando a un niño no se le fijan límites claros ni un sistema de reglas coherentes, se siente más inseguro porque no sabe cómo debe comportarse, no anticipa las consecuencias de su conducta, no conoce qué se espera de él, y por tanto no puede autodirigirse. De este modo, su autoestima se deteriora al «sentirse malo», ya que no sabe cómo debe actuar para conseguir sus objetivos.

Los niños que presentan respuestas agresivas ante los eventos negativos, o como forma inicial para conseguir sus deseos, suelen encontrarse, aunque no siempre, en un entorno con normas difusas que favorecen y potencian estos comportamientos, mientras que una normativa clara ayuda a reducirlos.

Unos límites consistentes y coherentes van a permitir a los niños:

1. Conocer e interiorizar las normas básicas que rigen las relaciones sociales.
2. Sentirse seguros, ya que pueden anticipar las consecuencias de sus comportamientos y por tanto elegir.

3. Crear y tener una imagen positiva de sí mismos, porque no son criticados, castigados y regañados por su mal comportamiento.

No obstante, muchas veces los niños no son conscientes de la necesidad del límite, y por eso hay que mostrarles el porqué de los mismos y su necesidad para que todo vaya bien. A continuación os propongo juegos y actividades para que tomen conciencia de la importancia de las normas.

Juegos y actividades
El mundo al revés
Jugad a los bolos, pero en lugar de tirar la bola tirad un bolo y ver qué ocurre. Se darán cuenta de que debido a la forma no rodará correctamente para llegar a tirar los otros bolos.
Pedid al niño que monte en bici en la dirección contraria a sus amigos para que vea los inconvenientes que tiene.
Jugad al parchís y que el que sea comido se cuente veinte y el que come se vaya a casa.
Jugar sin reglas
Elegid un juego cualquiera y pensad cada uno en una forma de jugar diferente. Comenzad a jugar y reflexionad sobre lo que ocurre.
Circuitos
Haced un circuito en el parque o en casa, siguiendo un itinerario. Haced que el niño lo realice tal y como se ha fijado. Después, mientras lo está haciendo, poneros en medio, quitadle algún obstáculo o haced trampas, para que vea lo importantes que son las normas.
Cuentos
🕮 *¡Sí quiero!* Claudia Bielinsky. La Galera 2000. Es muy bueno para trabajar el negativismo de los 2-4 años. Los niños se suelen ver reflejados y les explica las consecuencias de no cumplir cada norma. 🕮 *Pedro y Struppi.* Rotraut Susanne Bermer. Anaya Infantil y Juvenil 2009. Este libro refleja lo que pasa cuando no obedecemos. 🕮 *El osito amable.* Jillian Harper (con ilustraciones de Caroline Pedler). Editorial Parragón. Para trabajar la autorregulación y el respeto hacia normas y límites.

Fijación de los límites

A la hora de fijar los límites a nuestros hijos debemos tener muy claro cuál es nuestro objetivo y qué queremos conseguir. De este modo, si nuestra finalidad es evitar que todo el día estemos regañando con él porque no se lava los dientes o come con las manos, nos centraremos en estas dos rutinas, creando un programa enfocado a la autonomía en el hogar. Por el contrario, si lo que pretendemos es que cuando baje al parque comparta sus juguetes y no pegue a los otros niños, la normativa y las técnicas que utilizaremos serán sustancialmente diferentes, ya que se van a referir más al desarrollo de habilidades de interacción social. Igual sucede si lo que queremos es que nuestro hijo aprenda a aceptar que le neguemos un capricho, o a perder en un juego.

Hay que fijar un número razonable de límites, ya que no se puede abrumar a los niños e impedir que puedan cumplirse porque los desborde. Pensemos en cuando nosotros comenzamos en un nuevo empleo: aunque el primer día nos expliquen todo lo que debemos hacer, va a ser imposible que lo consigamos, lo que generará en nosotros ansiedad o ira, y eso condicionará una buena realización de nuestras tareas. Con los niños ocurre lo mismo, sobre todo en determinadas edades en las que les recargamos con normas nuevas que ponemos a la vez y queremos que se asuman y ejecuten con prontitud. Hay que encontrar un equilibrio entre ser muy estricto, saturando a los niños con límites, y ser muy permisivo e impedirles saber a qué atenerse.

Es muy frecuente también que los padres combinemos un sistema educativo sobreprotector, en el que respondemos a nuestros hijos antes de que nos pidan las cosas (por ejemplo recogiendo la mesa o la ropa que dejan tirada por el suelo, porque pensamos «total, a mí no me cuesta trabajo»), y luego les castiguemos porque han perdido el estuche o no se ponen solos a hacer los deberes. Tenéis que tener siempre presente que la autonomía personal y la responsabilidad en las cosas cotidianas del hogar son la base para que los niños sean autónomos y responsables de sus cosas por ejemplo en el colegio. Un niño que no está pendiente de dónde pone su ropa y la tira al suelo porque no le importa o no es consciente de que se ensucia y esto supone un coste para alguien, difícilmente va a estar atento de dónde deja el estuche en el colegio o el abrigo cuando se lo quita y sale al patio. No obstante, debido al coste sobre todo económico que implica la pérdida de objetos, esto nos genera ira, nos enfadamos y les castigamos. Pero lo que tenemos que pensar los padres es que solamente cuando reforzamos en los niños desde casa el cumplimiento de unas normas que les permitan valorar el esfuerzo y las consecuencias de sus conductas, podrán extrapolarlo a la energía que gastamos sus padres en la realización de las tareas, y tomar conciencia de nuestro esfuerzo.

Por otro lado, junto a la sobreprotección que presentamos, y que también se genera cuando vemos a los niños llorar, lo cual nos ablanda el corazón y cedemos ante este chantaje, solemos utilizar un sistema educativo autoritario y exigente ante errores y equivocaciones que cometen muchas veces por ausencia de bases en la maduración y responsabilidad. Volviendo al ejemplo de antes, cuántos niños cuando llegan a casa dejan la cartera en el pasillo, tiran el abrigo en el suelo, piden la merienda y se van corriendo a ver sus dibujos animados o la serie de moda. Creo que muchos, por lo que me cuentan los padres y alguna que otra experiencia vivida en primera persona. Normalmente siempre hay una madre, padre, abuela o cuidadora que va realizando una auténtica peregrinación detrás del niño para dejarlo todo como estaba. Este niño, por supuesto, va a protestar y poner el grito en el cielo cuando se le pida que deje el juego o la televisión para hacer los deberes. Además, cuando decida que es la hora de hacerlo, tendrá que preguntar dónde está la cartera e increpará al adulto diciéndole *«¡¡¿Dónde me has puesto las cosas?!!»*. Normalmente esto colma nuestra paciencia, y entonces se destapa la caja de Pandora y nos ponemos a gritar llamándole de todo menos bonito. El estado de crispación de todos en estos momentos es tal, que es muy difícil mantener el control contando hasta diez para contener al niño. Sin embargo, este estado emocional no se produce tal y como hemos visto porque el niño nos pregunte dónde están las cosas, sino por todo lo anterior que ha generado en nosotros pensamientos como: *«este niño se cree que somos sus criados», «con todo lo que tengo que hacer y este mocoso no me ayuda nada», «van a ponerle otra nota en la agenda porque son las ocho y no nos da va a dar tiempo de hacer los deberes»*, etc.

Es preciso tener en cuenta que cuando combinamos el **estilo educativo sobreprotector:**

Pensamiento: «Pobrecito, lleva todo el día en el colegio, que más da que le recoja yo las cosas».
Emoción: tristeza.
Actuación: recojo su cartera, el abrigo y le llevo la merienda al salón.

Con el **estilo punitivo:**

Pensamiento: «Este niño se cree que somos sus criados».
Emoción: ira.

El resultado es nuestro comportamiento:

Actuación: grito, chillo, le tiro la cartera y le digo que es un vago, que va a suspender y que nunca llegará a ser nada en la vida.

El estilo sobreprotector impide en muchos casos que los niños desarrollen estrategias personales y sociales, que luego les exigimos, y al no ser capaces de realizarlas les castigamos por ello. Ambos estilos favorecen la baja autoestima en los niños, ya que ambos les dan información negativa de sí mismos, por un lado porque son conscientes de su baja eficacia, sobre todo cuando deben demostrar su capacidad en entornos externos al hogar, y por otro porque al ser castigados son puestos en evidencia delante de todo el mundo y eso merma su autoestima.

Es necesario que los padres generemos, tal y como ya se ha indicado, un estilo educativo basado en el amor y el respeto al niño, teniendo en cuenta su edad de desarrollo, y fijando unos límites coherentes y estables que ayuden al niño a madurar y crecer con seguridad.

Otro aspecto muy importante a la hora de establecer los límites es que ambos padres deben estar de acuerdo con los mismos, los fijen juntos y establezcan las consecuencias que tendrá el no cumplirlos.

Si cada padre fija normas distintas o contrarias, o quita autoridad al otro haciendo que el niño no respete las fijadas por el otro cónyuge, ello produce confusión en los niños y hace que las consecuencias de su conducta sean imprevisibles, por lo que puede generar en ellos ansiedad o ira, por no saber cómo afrontar situaciones, y puede producir comportamientos inadecuados, ya que querrán probar si les dejan o no emitir conductas, y además suelen aprender a utilizar a uno u otro padre en su beneficio.

También es muy importante que si no está fijado el límite, y dudamos, consultemos al otro progenitor y tomemos la decisión juntos. El «díselo a tu padre», o el «¿qué te ha dicho tu madre?», no sirven. Hay que consensuar para que el niño vea que la decisión es de ambos padres. Muchos padres me preguntan si es bueno que uno haga de «poli bueno» y el otro de «poli malo». Siempre que se me hace esa pregunta les respondo preguntándoles cómo se siente el que actúa siempre de malo, y qué autoridad tiene el que hace siempre de bueno. A priori esta fórmula no suele dar buenos resultados, porque la figura que es más blanda deberá acudir a la autoridad del otro («ya verás cuando llegue tu padre/madre») para que los niños obedezcan, y muchas veces no será efectivo porque cuando llega, o no se le dice, o como no ha estado en la situación no le da la importancia que tiene y por tanto no hay consecuencias ni inmediatas ni eficaces. Además, los niños, que son muy listos, saben que con ese progenitor pueden hacer lo que quieren y se mostrarán mucho más desorganizados y anárquicos. En el otro lado del juego, el papá o la mamá «castigador» se quejará de ser siempre el malo o la mala, se lo reprochará a su pareja, y estos sentimientos generarán a su vez ira, que se manifestará en conflictos cada vez más difíciles de solucionar.

Por eso es fundamental que ambos padres estén de acuerdo, ya que ello evitará que los niños puedan sortear las normas poniéndose del lado del papá más permisivo. Yo pienso que los niños son grandes estrategas, y que tienen muy claro que el lema de la guerra «divide y vencerás» es más que cierto en el cumplimiento de normas y en la consecución de objetivos. Por eso, cuando tuvimos hijos, la máxima que nos ha regido a mi marido y a mí es que somos un equipo y que no íbamos a demostrar a nuestros hijos que no siempre estábamos de acuerdo discutiendo delante de ellos. Este criterio solemos aplicarlo siempre, si bien no fuimos conscientes de su eficacia hasta una noche en la que, cenando, nuestra hija pequeña, que seguía insistiéndonos por undécima vez en algo, fue aleccionada por su hermano de seis años, que le dijo muy serio: «No te canses, papá y mamá te han dicho que no, y siempre están de acuerdo en todo». Realmente son estos momentos los que te llenan de satisfacción y te demuestran que el esfuerzo tarde o temprano se ve recompensado. No obstante, no os creáis que mi marido y yo no somos discrepantes en cuanto a la forma de educación y las normas, que sí lo somos, y mucho, pero intentamos hablar a solas de las decisiones que debemos tomar, y cuando se las comunicamos a los niños damos una visión única de lo que hay que hacer. Esto implica escucharse, intercambiar puntos de vista y sobre todo ceder en ocasiones aunque no estemos totalmente de acuerdo.

Pero además de estar coordinados ambos padres, es muy importante cada uno de ellos sea coherente consigo mismo, actuando no en función de sus sentimientos o estado de ánimo sino de acuerdo a lo que se ha fijado con el niño. Por este motivo, si se ha decidido poner el límite a un niño, y su cumplimiento o incumplimiento va a tener unas consecuencias, debemos administrar las mismas independientemente de que estemos cansados, enfadados o contentos. Cuántas veces, debido a que no podemos más, dejamos pasar cosas que hemos insistido hasta la saciedad que deben realizarse. Si esto se produce de manera esporádica no suele tener mayor relevancia, pues tenemos que pensar que no somos superhombres y que todos tenemos un límite, y que hay días en los que no podemos entablar una batalla porque no tenemos fuerzas. No obstante, ese día debéis ser más listos que ellos e intentar no pedir o exigir algo que no podáis hacer que los niños cumplan, porque vosotros no vais a poder actuar. Es mejor dejar pasar algo y no mencionarlo, aunque sea una norma que se debe cumplir, a perder en el cumplimiento de la misma y que el niño tome conciencia de que a veces es tan poderoso que puede ganar a sus padres.

Pero tal y como veremos más adelante, no es fácil fijar un límite, ya que todos vosotros pensaréis que en vuestra casa hay muchos y no se cumplen la mayoría. Muchas veces no es que las familias y los padres no pongan límites, que sí los ponen, es que los mismos, al no estar formulados correctamente, no tienen la eficacia que debieran. Esto se debe a que para que un límite sea eficaz debe cumplir una serie de requisitos y debe enunciarse de una forma muy concreta.

Para que un límite sea efectivo
• Debe formularse con frases simples y adecuadas al nivel comprensivo y evolutivo del niño. • Hay que decirles qué razones motivan el límite. • Hay que fijar los límites de antemano. • Hay que enunciar el límite en positivo. • Hay que exponer qué consecuencias tendrá si no se respeta. • Hay que llevar siempre a cabo las consecuencias del límite, independientemente de nuestro estado de ánimo o la situación. • Una vez fijado, no se puede negociar o modificar a nuestro antojo o al de nuestro hijo.

A continuación voy a ampliar aquellos aspectos de los anteriores que considero más importantes y no han sido explicados ya. Para empezar debéis tener presente que algo fundamental que tiene que tener un límite para que surta efecto es que **sea formulado en positivo**. Como todos sabemos, los adultos nos pasamos el día diciéndoles a los niños todo lo que **no** deben hacer: no grites, no saltes, si no haces esto te castigo sin salir, etc. El formular los límites así tiene varios inconvenientes:

a) Indicamos al niño lo que no debe hacer, pero no le decimos lo que esperamos de él, que es lo que realmente le ayudará a autorregular su conducta y realizar lo que se le pide.

b) Damos un tono autoritario y negativo al límite, lo que puede generar en el niño sentimientos de rebeldía hacia el mismo.

c) El niño no realizará la conducta por miedo al castigo y/o a la reprimenda, pero no se orienta a la autorregulación y a la conducta adecuada.

En el siguiente ejemplo comprobaréis qué diferente es la percepción que se tiene al formular el límite en negativo o en positivo.

Límite en negativo: ¡Si no te comes todo, no ves la televisión!

Límite en positivo: Corre, que en cuanto termines de comer te vas a ver la «peli».

En el primer caso el niño está pensando en que se va a quedar sin ver el programa y esto le va a generar frustración e ira, y va a demorar la realización de la conducta por la oposición inicial hacia el límite, generando protestas. En el segundo caso, el niño, ante la expectativa positiva de ver la televisión, realizará cuanto antes la conducta.

Si reflexionáis sobre vuestra propia experiencia, pensad qué diferente es que vuestro jefe os diga: *«¡Hasta que no termine no se va a casa aunque tenga que dormir aquí!»*, a que os incentive y diga: *«En cuanto acabe váyase a casa a descansar, que se lo merece»*.

Realmente lo más difícil para implantar el formular el límite en positivo es eliminar la costumbre que tenemos de hacerlo de la otra forma, que es la que nosotros hemos vivido en primera persona, y es lo que nos sale de forma automática cuando nuestros hijos no hacen lo que nosotros deseamos. Por eso, a partir del ejemplo que os facilito a continuación os recomiendo que completéis la tabla que aparece después, ya que sólo practicando podréis cambiar la forma de pedir a los niños que cambien su comportamiento.

Haz una lista con todos los requerimientos en negativo que haces a tu hijo e intenta ponerlos en positivo	
EJEMPLOS	
LÍMITE EN NEGATIVO	LÍMITE EN POSITIVO
No grites.	Habla en un tono bajo que te oigo mejor.
No corras.	Camina despacio.
No saltes en el sofá.	Permanece sentado mientras ves la película.
LÍMITE EN NEGATIVO	LÍMITE EN POSITIVO

No obstante, al formular el límite en positivo debemos tener presente que debe ser más sencillo cuanto más pequeño sea el niño, ajustándose a su edad y nivel de comprensión. Las reglas deben ser simples, incluyendo una sola norma, que no debe ser contraria a otra ya establecida.

Hay que especificar qué, cómo y cuándo debe hacerlo. También debemos asegurarnos de que el niño ha comprendido la norma. Para ello le pediremos que nos explique el límite, cómo debe hacerlo y qué ocurrirá si no lo hace. Si observamos que no ha comprendido algo, debemos hacer que lo entienda en ese momento, ya que si un niño no comprende una norma difícilmente podrá cumplirla.

De este modo, si le indicamos a nuestro hijo que debe echar la ropa sucia en el cesto y según se desnuda deja todo tirado, debemos situarnos frente a él y decirle: «¿Qué es lo que debes hacer?». Si no lo sabe, se lo repetiremos y le dirigiremos, y si lo sabe, le pediremos que lo haga en ese momento.

Tened en cuenta que los estudios realizados en cuanto al seguimiento de instrucciones por parte de los niños han observado que cuando se utilizan ayudas no verbales, la posibilidad de cumplimiento del límite es mayor. Además, tenemos que tomar conciencia de que la norma debe ser recibida por el niño para que la cumpla. Muchas veces, mientras estamos cocinando con la campana extractora haciendo ruido y la puerta cerrada de la cocina, en el otro extremo de la casa están nuestros hijos viendo la televisión con el volumen bastante alto, mientras nosotros desde la cocina les gritamos que deben venir a cenar. Cuando después de tres requerimientos los niños no responden, acudimos iracundos al salón gritando y gesticulando sin parar, mientras ellos nos mirar atónitos sin saber qué ocurre. Realmente en este caso lo que ha fallado ha sido la comunicación, y que el padre haya pensado que los niños sabían lo que debían hacer.

Por eso, al hablar con los niños es importante utilizar un lenguaje corporal que acompañe al límite, procurando tener una distancia lo suficientemente próxima para que favorezca la comunicación, pero sin invadir el espacio resultando invasivo y agresivo. Cuando podamos, hay que ponerse a su altura física, para poder mirar al niño a los ojos y asegurarse de que él nos mira. Además, debemos utilizar un tono de voz agradable pero firme que transmita seguridad, sin llegar a ser agresivo.

Se ha comprobado que la utilización de estas pautas de comunicación a la hora de dirigirse a los niños aumenta la probabilidad de éxito en el cumplimiento del límite.

Además, es fundamental que **el límite sea fijado de antemano,** ya que, como se ha señalado ya, el límite sirve para que los niños aprendan qué deben hacer y qué no. Por eso es importante que los niños conozcan de antemano los requisitos para poder cumplirlo, y sobre todo para que tomen conciencia de las consecuencias de los comportamientos que han elegido de antemano. Este hecho nos permite a los padres poder desplazar la responsabilidad de las consecuencias, consiguiendo así que el niño pase de pensar: «Es que siempre me estás castigando», a que piense «Yo he decidido no hacerlo y por tanto...». Es frecuente que los niños que acuden a mi consulta se quejen de los castigos, pero el hecho de que sus padres comiencen a poner los límites con seriedad y rigor me permite reflexionar con ellos y que por sí mismos lleguen a la conclusión de que el castigo nos da pocas opciones, pero el límite nos permite elegir. De este modo suelo utilizar el ejemplo de las normas de circulación. Todos sabemos que cuando conducimos tenemos que pararnos cuando el semáforo está en rojo, pero aun así hay personas que se lo saltan. Cuando lo hacen están eligiendo, ya que saben que si lo hacen pueden sufrir un accidente, atropellar a alguien o tener que pagar cuando le pongan una multa. Está claro que, por mucho que lo intentemos, es difícil que podamos culpar al otro coche, al accidentado o al policía de lo que ha ocurrido, ya que el único responsable es el que conduce el coche, el cual tiene que asumir las consecuencias de su elección. Del mismo modo, cuando el niño decide dejar los juguetes tirados sabe que sus padres, según la norma establecida, los tirarán a la basura o los guardarán, no porque sean malos o le tengan manía, sino porque es la consecuencia que han impuesto al formular el límite.

El anticipar a los niños qué esperamos de ellos les ayuda a la regulación de la conducta y les posibilita asumir responsabilidades. Por ejemplo, si vamos a ir al cine y nuestro hijo insiste en que quiere ver una película no autorizada, antes de salir acordaremos con él la película que veremos y que se adaptará a lo recomendable para su edad. Antes de salir le recordaremos que vamos a sacar entradas para ver la película decidida y qué consecuencias tendrá que tenga una rabieta y se tire al suelo y llore, que pueden ir desde ignorarle y entrar a ver la película decidida, hasta irnos a casa. Es importante decírselo antes para que espere ese comportamiento por nuestra parte. No obstante, debéis saber que el hecho de anticipar no evita que cuando llegue el momento proteste o se enfade, pero la experiencia nos demuestra que, transcurrido un tiempo, y si somos metódicos, estas conductas desaparecen.

> Al principio es importante recordar a los niños el límite, pero poco a poco, si somos sistemáticos y lo hacemos cumplir siempre, el niño lo interioriza y el límite se transforma en reglas permanentes:
>
> **«Hay que bañarse todos los días antes de cenar».**

Hay que tener en cuenta que hay ocasiones en que los límites se deben fijar según las necesidades. Por ejemplo, si vamos a comer al campo, nuestro hijo está constipado y pretendemos que no se meta en el río, debemos anticipárselo: *«Si te metes en el río y te mojas, nos tendremos que ir a casa para que no te pongas peor».* No obstante, hay veces que es mejor sopesar las circunstancias y hacer una valoración realista de la situación. Si sabemos que todos los niños se van a bañar en el río y que además han llevado las pistolas de agua para jugar, estamos exponiendo a nuestro hijo a una situación realmente frustrante, con pocas alternativas si no le vamos a dejar jugar con los demás niños. En ese caso lo mejor será no acudir a la comida y proponer otra actividad alternativa que nos permita divertirnos a todos.

Es injusto exigir a los niños comportamientos que probablemente los adultos no toleramos con respecto a nosotros mismos. Es frecuente que, debido a los horarios a los que estamos sometidos, muchas veces no seamos conscientes de cosas tan insignificantes como que siempre le pedimos a nuestro hijo que se bañe cuando está a mitad del episodio de sus dibujos animados preferidos, lo que genera en él protestas y reticencias. Pensad en vosotros, en ese momento de la noche en que por fin estáis sentados tranquilamente en el sofá viendo vuestra serie favorita, y cómo os sentaría si todos los días alguien os pide que os levantéis y vayáis a poner la lavadora.

Sin lugar a dudas pensaréis que hay otros momentos del día en los que se puede hacer esto. Por eso es mejor que anticipéis estos pequeños detalles y fijéis rutinas que no coincidan con actividades gratificantes para los niños, pidiéndoles en este ejemplo que se bañen antes o después de la serie.

También es importante decirle al niño qué motivos tenemos para fijar el límite, ya que favorecerá que cumpla el mismo.

De este modo, si el límite ***se basa en la lógica*** el niño lo vivirá, no como algo impuesto por la autoridad, pues lo ampliará por miedo al castigo, sino como una conducta que nace de la razón, por lo que entenderá la norma y aumentará la posibilidad de que la cumpla. Además, servirá al niño para desarrollar un sistema de valores basados en la lógica, y no en el miedo o el temor, y le ayudará a ***desarrollar autodisciplina,*** ya que al interiorizar y razonar el porqué de la norma será capaz de fijarse objetivos y trabajar para cumplirlos.

Si nos sentamos con nuestro hijo y le preguntamos qué normas debe cumplir para jugar en el parque y divertirse, es seguro que nos dirá: «jugar con los otros niños sin pegarnos». Entonces debemos explicarle que cuando juega compartiendo y respetando turnos se lo pasa muy bien, pero si pega se pueden hacer daño, y que ya no le resultará tan divertido.

El límite, por tanto, podría ser:

— Baja al parque para jugar con tus amigos y divertirte, pero si os pegáis y os enfadáis es que ya no te lo estás pasando bien, y por tanto nos subiremos a casa.

Damos por hecho que si regaña y se pega deja de pasárselo bien, por lo que habrá que subirse porque ya no consigue su objetivo (pasárselo bien).

Es importante recordar que el hecho de que expliquemos inicialmente el motivo del límite no nos debe llevar a pensar que debamos hacerlo siempre o que tengamos que estar constantemente reforzando el motivo. Es más, hay veces que los niños nos preguntan una y otra vez para agotar nuestra paciencia, cuando saben perfectamente el porqué del límite; en estos casos es importante no entrar en polémica, porque esto nos enfada y nos lleva a perder las formas. En estos casos, se les indicará de una forma tajante que la norma está fijada y explicada y no se va a discutir.

Puntos para nuestra reflexión
• ¿Cómo formulo yo los límites a mi hijo? • ¿Somos sus padres coherentes cuando fijamos las normas? • ¿Soy consistente o inconsistente con su cumplimiento? ¿Hay veces que le dejo, y otras que no le paso una? • ¿Soy modelo de respeto de límites? ¿Cruzo la calle en rojo? ¿Me cuelo en la fila si puedo? • ¿Qué hago cuando incumple el límite? • ¿Cuántos límites tiene mi hijo?

Cómo llevar a cabo un programa de límites

Una vez que hemos formulado las características que se deben tener en cuenta al fijar límites, os propongo un programa para conseguir que aparezcan comportamientos que deseáis que posean vuestros hijos, en su vida cotidiana, a través de la formulación de límites.

Programa
1. Haced una lista de los límites que tiene vuestro hijo. 2. Formuladlos en positivo, incluyendo las consecuencias positivas que tendrá su cumplimiento. 3. Sentaros con él y, sin decirle lo que habéis escrito, comentad con él cuáles son las cosas de casa que incumple y las que cumple. Comparadlas mentalmente. 4. Acordad las 4 o 5 normas que el niño debe cumplir. 5. Haced una tabla e ir registrando los avances.

1. **Haced una lista de las normas actuales que tiene vuestro hijo.**

Límites actuales de mi hijo
• No saltar en el sofá, acostarse a las 9:00, lavarse los dientes, no pegarse en el patio, no subir a casa del vecino si no ha hecho los deberes, no jugar a la consola si no ha estudiado, no ver la televisión cuando come, etc.

2. **Formulad los límites en positivo, incluyendo las consecuencias positivas que implican su cumplimiento.**

Límites en positivo
• Al ver la televisión estarás sentado en el sofá; si saltas te quedarás de pie. • Deberás estar en la cama acostado y con la luz apagada a las 9:00; de lo contrario, mañana te acostarás a las 8:45 para que estés dormido a las 9:00. • Después de comer te lavarás los dientes antes de ir a jugar. • Puedes bajar al patio para jugar con los niños y divertirte. Si discutes y pegas no te lo estás pasando bien, por lo que subirás a casa. • Debes hacer los deberes solo, para después poder subir a casa del vecino. • Después de estudiar puedes jugar 30 minutos a la consola.

Recordad que es muy importante tener en cuenta la edad del niño para adecuar la norma a su nivel de desarrollo, y que así pueda cumplirla. De hecho, no podemos pedir a un niño de 3 años que mantenga su cuarto ordenado, pero sí podemos pedirle que guarde sus juguetes en una caja después de haberlos utilizado. Es sorprendente comprobar que, desde edades tempranas, los niños son capaces de respetar las normas si piensan que son razonables y beneficiosas, y son estables en el tiempo.

3. **Haced una reunión con él.**

Sentaros a hablar con él para fijar los límites, pero teniendo en cuenta que no es un lugar de batalla, sino de encuentro para el acuerdo. Si os ponéis a discutir e intentáis ganar unos u otros, nunca llegaréis a fijar las normas, siendo mejor dejar la reunión para otro momento.

Por eso es bueno planteárselo al niño como un juego que nace de la necesidad de que todos estemos bien. Hablad con él sobre qué siente cuando se le regaña y todos os enfadáis, y exponed que a vosotros tampoco os gustan los conflictos que se producen en casa. Preguntadle qué cree que se debe hacer para que no haya discusiones. Los niños suelen ser bastante conscientes y suelen decir: «Que me porte bien»; esta afirmación que es tan general nos indica que debemos especificar y acotar aún más qué esperamos de él, procurando que operativice los comportamientos y reflexione sobre qué cosas son las que no hace, para realizar un listado de las mismas.

Cuando un niño participa en la formulación del límite suele sentirse más responsable en su cumplimiento, le lleva a autorregular su conducta de una manera más eficaz y le ayuda a ir fijándose límites propios a medida que crece.

Es importante ofrecer a los niños la capacidad de elegir entre opciones concretas, siempre que sea posible: entre la chaqueta azul o el jersey rojo cuando hace frío, entre baño o ducha en la higiene diaria, etc. Si no le cerramos las ofertas, hay menos posibilidades de rabieta y más de cumplimiento.

No obstante, si el niño es muy pequeño no se le debe dar la opción de escoger. Tampoco si vemos que el niño reacciona ante la opción con una pataleta, porque eso indica que no está preparado para elegir, y que debemos esperar a que pueda tomar decisiones.

Consideraciones a tener en cuenta durante la reunión con el niño
• Elegir un espacio tranquilo y ausente de elementos distractores. • Elegir un momento en el que tengáis tiempo suficiente. • Apagar la televisión, desconectar el teléfono... • Estar tranquilos y sin ansiedad. • Escuchar activamente al niño. • Responder a las preguntas que haga, expresándoos asertivamente. • Aceptar y asumir que los niños pueden responder negativamente con reproches, debiendo rebatirlos sin juzgar ni criticar.

4. Elegid las cuatro o cinco normas que el niño debe cumplir.

Cuando hayáis hecho el listado de conductas con vuestro hijo, antes de elegir las que vais a trabajar pensad en que, de las seleccionadas, dos por lo menos deben ser fáciles de cumplir, otras dos algo más difíciles y una difícil de conseguir, para llevar a cabo un registro de su consecución.

No es necesario que reforcemos al niño por su cumplimiento, ya que si el límite está bien formulado llevará implícito el refuerzo. En la norma: «después de comer te lavarás los dientes antes de ir a jugar», se presupone que si no se ha cepillado los dientes no hay juego.

5. Haced una tabla y registrad los avances.

El objetivo de realizar una tabla para registrar las conductas es que tengamos una visión objetiva y real que nos permita saber tanto al niño como a los adultos si estamos consiguiendo lo que pretendemos. Además, como veremos más adelante, es imprescindible para una correcta autoevaluación y posterior corrección, si es preciso. Por otro lado, muchas veces el niño cumple correctamente todas las normas excepto una, y nosotros pensamos que no avanzamos o que vamos fatal porque es la que más nos molesta, no siendo realmente conscientes de lo que realmente se ha avanzado. Por eso es importante ser sistemático en el registro de la consecución de conductas, que podéis anotar como queráis, dibujando caras tristes o alegres, poniendo pegatinas cuando lo consigue dejando en blanco las otras casillas, haciendo un dibujo, etc.

Tened en cuenta que no se pueden poner en una misma casilla varias conductas aunque estén relacionadas, ya que peinarse y lavarse los dientes antes de salir son dos cosas, y si hace una pero no la otra no sería correcto puntuar la no ejecución, pero tampoco no reforzar la conducta realizada, ya que no tendería a repetirla. Por eso es mejor ir más despacio y poner cada una en una casilla.

A veces, aunque los límites ya tengan el refuerzo, se puede pactar con el niño la obtención de algo que desee a cambio, por ejemplo, de treinta casillas positivas. Es recomendable que no sean cosas materiales, como juguetes o chuches, sino actividades reforzantes que podamos hacer en familia: ir al cine, a la bolera, al parque de atracciones, etc.

Tabla con los límites seleccionados para registrar

	L	M	X	J	V	S	D
Acostado a las 9:00	☺						
Cepillarse los dientes	⚡						
Hacer los deberes solo	☺						
Jugar con los amigos							

El uso de esta combinación de técnicas es muy efectiva, y se debe utilizar inicialmente para instaurar los límites, ya que nos ayuda al niño y a nosotros a cambiar nuestra forma de actuación. No obstante, no se debe mantener en el tiempo, ya que pierde su efectividad.

5. Enseñar y reforzar comportamientos incompatibles con la agresividad

Cuando hablamos de control de la agresividad no estamos hablando de eliminar o reducir la ira, que como hemos visto es una emoción positiva para el ser humano. De lo que se trata es de crear, implantar y fortalecer otros comportamientos alternativos a la misma, que permitan al niño expresarse, pero sin herir a los demás ni hacerse daño a sí mismo.

Para modelar en los niños el comportamiento no agresivo, hay que enseñarles que el uso de la agresión o del insulto (por ejemplo, «imbécil, déjame»), se puede sustituir por una frase mucho más asertiva ***(«Me estás molestando. ¿Te importaría dejar de tocarme el hombro?»).*** Si los niños aprendieran a utilizar estas frases de manera sistemática se resolverían muchas disputas en su presente y sobre todo en su futuro como adultos. Los niños comprueban que utilizando estas frases no se enfadan más y pueden seguir siendo amigos, sobre todo si el otro responde también con asertividad *(«Sí, perdona, estaba jugando, siento que te haya molestado»).* De hecho, tal y como ya hemos reflejado, es fundamental que la familia también utilice este tipo de afirmaciones. De este modo, si el niño está haciendo ruido con los pies y le damos un manotazo en la pierna y le gritamos diciéndole: *«¡Estate quieto de una vez o te doy un tortazo!»,* estamos modelando en él una respuesta de este tipo cuando algo le moleste. Por el contrario, si le decimos *«Por favor, deja de mover la pierna que me estás molestando»,* y cuando deje de hacerlo le damos las gracias, estaremos favoreciendo la respuesta asertiva.

Es importante que en casa modeléis este tipo de respuestas, ya que si todos aprendéis a contestar así, el clima familiar y social será mucho más relajado.

Podéis fomentar
— Cuando queramos las cosas, las pediremos por favor: «*¿Me dejáis jugar con el coche, por favor?*». Si nos lo dejan damos las gracias; si no, aceptamos que los otros no nos las quieran dejar. Por tanto, utilizaremos el lenguaje para eliminar las conductas de gritar, empujar o pegar. — Responder a los compañeros cuando nos molestan utilizando frases como «*No me molestéis, por favor*», en lugar de gritar, empujar o pegar. — El refuerzo de todas las actitudes de cooperación e interacción positiva, destacando y resaltando estas conductas por encima de las de los demás. «*Estoy encantado de que estéis jugando juntos compartiendo los juguetes y pasándolo bien. Por eso esta noche os haré vuestra cena favorita*». — Resolver los conflictos a través del lenguaje en lugar de utilizar la agresión. De este modo modelaremos que digan: «*Este coche es mío y ahora estoy jugando con él, así que te pido por favor que me lo des*». — Premiar los elogios realizados a otros niños o adultos: «*¡Qué bien te ha salido esa flor!*», «*¡Cómo me alegro de que hayas ganado!*

Este tipo de conductas y verbalizaciones que os he mostrado en el cuadro anterior se refieren a un tipo de estilo de interacción social que en psicología se conoce con el nombre de **asertividad**.

Según Renny Yagosesky, la asertividad es una categoría de comunicación compleja vinculada con la alta autoestima y que puede aprenderse como parte de un proceso amplio de desarrollo emocional. La define como una forma de expresión consciente, congruente, clara, directa y equilibrada, cuya finalidad es comunicar nuestras ideas y sentimientos o defender nuestros legítimos derechos sin la intención de herir, actuando desde un estado interior de autoconfianza, en lugar de la emocionalidad limitante típica de la ansiedad, la culpa o la rabia. Dicho autor plantea también que la asertividad es necesaria y conveniente gracias a los beneficios que genera, ya que:

— Favorece la confianza en la capacidad expresiva.
— Potencia la autoimagen positiva, pues favorece el sentido de eficacia personal.

— Genera bienestar emocional.
— Mejora la imagen social, pues promueve el respeto de los demás.
— Favorece las negociaciones y el logro de objetivos que dependan de la comunicación en general.

Todos sabemos que existen diferentes formas de responder ante los eventos negativos, que revelan una forma específica de afrontamiento que se manifiesta en tres tipos diferentes de respuesta social: agresiva, pasiva o inhibida y asertiva.

La persona que presenta un ***estilo agresivo*** de interacción social expresa lo que siente sin respetar el derecho de los demás a ser tratados con respeto. El agresivo suele ser socialmente beligerante, y humilla y desprecia a los otros, consiguiendo sus objetivos aplastando a los demás.

En principio, la persona agresiva consigue lo que quiere porque los demás le tienen miedo, pero también puede producir aislamiento social, sobre todo en los niños, ya que sus compañeros no querrán relacionarse con él, debido a los sentimientos de humillación e ira que genera en ellos.

En el otro extremo se encuentra el ***estilo pasivo*** o inhibido, que por el contrario no respeta su derecho a expresar sus ideas, necesidades, deseos, sentimientos y opiniones. Es introvertido, no consigue sus objetivos y permite que otros decidan por él. Para no perder el cariño o el amor de los otros suele mostrarse sumiso, y acata lo que dicen los demás. No suele decir lo que piensa, siente u opina porque tiene miedo a las consecuencias.

Este tipo de estilo a corto plazo evita los conflictos, pero a largo plazo merma la autoestima de la persona, ya que ésta siente que nadie le toma en cuenta, lo que genera en él mucha frustración e ira, que no utiliza para solucionar sus conflictos. Por otro lado, ello le genera mucha inseguridad y ansiedad ante las situaciones que le pueden surgir.

La inhibición no ayuda a resolver los problemas porque la persona no se enfrenta a ellos. La agresividad tampoco resuelve los conflictos porque no conduce al acuerdo, sino al enfrentamiento. Al inhibido se le acumulan los problemas sin resolver; al agresivo le surgen continuamente nuevos problemas, como resultado de enfrentarse mal con los que tenía.

Como contrapartida a ambos estilos existe el **estilo asertivo,** que defiende sus derechos sin violar los de los otros a través de una actuación coherente y eficaz. La persona asertiva dice **lo que sinceramente piensa y lo que le parece justo, pero sin faltar a los derechos de los demás ni perder los suyos.** Está muy relacionado con la sinceridad, con la valentía y con el respeto.

La persona asertiva resuelve los conflictos en el momento y siente respeto por sí misma y por los demás, lo que fomenta una autoestima positiva, llenándole de satisfacción y seguridad.

Antes de trabajar con el niño que presenta conductas agresivas hay que hacerle tomar conciencia del estilo que presenta, para poder modificar posteriormente su forma de expresión emocional dirigiéndose hacia la forma de actuar del niño asertivo, que es el que es capaz de hacer frente a sus problemas de una manera madura, sin agredir ni esconderse, diciendo las cosas en el momento apropiado y de la forma correcta. Es fundamental que el niño utilice la palabra para decir que está enfadado, y que utilice el lenguaje para expresar y solucionar los conflictos de una manera adaptativa. Es evidente que esto no se consigue en un solo día, pero es importante trabajarlo para que el niño lo aprenda.

Para enseñar a los niños los distintos tipos de respuesta social podéis partir de las maneras que tenemos de comportarnos: de manera inhibida o de manera agresiva. Podéis asociar las figuras del ratón o el conejo, que son animales simpáticos, juguetones y divertidos, con la persona inhibida que ante las dificultades y conflictos se esconde en la madriguera o ratonera, no responde y no aprende a afrontar las situaciones o a solucionar sus problemas.

Por otra parte, hablamos del dragón, el león o el rayo, como aquel ser que es poderoso porque es muy fuerte y se enfrenta a los demás echando fuego por la boca (insultando o gritando) o pegando con su enorme cola o zarpa (agrediendo), como manera de responder a los demás.

En casa, el niño debe reflexionar sobre cuándo se comporta como liebre, ratón, león o dragón, cuándo lo hacen los demás y cómo nos sentimos cuando lo hacemos.

Cuando expresamos nuestra ira de una manera agresiva, muchas veces no somos conscientes de cómo nos ponemos y del efecto que tiene en el otro. Además, debido a las consecuencias positivas que tiene su uso, solemos utilizarla de una manera automática y sin pensar. Por eso, cuando nuestros hijos nos estén gritando o increpando es bueno hacerles tomar conciencia, utilizando un tono de voz bajo y preguntándoles: «¿Te estoy yo gritando?, ¿a ti te gusta que te grite?; pues por favor háblame bajo y con tranquilidad para que pueda entenderte».

A continuación mostramos diversos juegos y actividades para la toma de conciencia del sistema de interacción social que presentamos, y para que todos los miembros de la familia perciban su modo de respuesta como punto de partida para la modificación y el cambio.

JUEGOS Y ACTIVIDADES

Póster de comunicación. Podéis poner un cartel en casa con la foto de cada miembro de la familia y animales que representen los distintos tipos de respuesta. Según el tipo de actuación que tenga cada uno, pondrá o bien un animal o su propio rostro, según el comportamiento que haya tenido.

Padre	Madre	Hijo	Hijo
		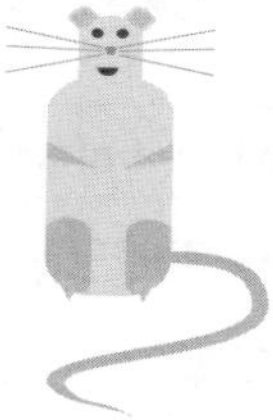	

Juegos y actividades
Adivinanzas
Cuando Luis sale corriendo porque no le dejan beber agua en el patio, se está comportando como un ... (conejo).
Cuando María le dice a Pedro: «Por favor, ¿puedes dejar de gritarme, que te oigo igual?», está actuando como ... (una niña de verdad).
Cuando mamá grita a papá porque se le ha olvidado comprar el pan, es igual que una ... (fiera).
Señales de respuestas
• Recortar fotos con dragones, leones, ratones, liebres, rayos, etc., y pegarlos en palos de polos. Cuando estéis en casa jugando o tengáis un conflicto podéis utilizarlos para indicar a los demás el tipo de respuesta que están teniendo, y así moderar la comunicación.
• Como en el fútbol, diseñar tarjetas rojas, amarillas y verdes. Sacar la tarjeta según el tipo de respuesta: Rojo: agresivo. Verde: asertivo. Amarillo: inhibido.

Juegos y actividades
Dramatización
Hacer un teatro y representar escenas que se os ocurran, como por ejemplo: **Cómo decirle a mamá que se le han quemado las lentejas:** Agresivo: «¡Siempre se te quema todo!, eres la peor cocinera del mundo. Inhibido: no dice nada y se come las lentejas aunque están muy malas. Asertivo: «Creo que se han quemado las lentejas, pero no te preocupes; nos puede pasar a cualquiera, y podemos hacernos unos macarrones ahora mismo».
Cómo nos diría papá que bajemos la música.
Cómo le pediríamos a nuestro hermano que dejara nuestro juguete favorito.
Cuento
Chusco, un perro callejero. Begoña Ibarrola. SM. Trabaja la empatía y la ayuda a los demás.
Cuando me porto mal. Cómo ayudarte a obrar bien. Lisa O. Engelhardt y R.W. Alley. Editorial San Pablo.
Un puñado de besos. Antonia Rodenas. Anaya Infantil y Juvenil. 2002. Habla de la importancia de la empatía y del afecto, incluso cuando alguien se muestra agresivo, como forma de enseñar conductas positivas incompatibles con la agresión.

Para que los niños desarrollen un adecuado sistema de respuesta social, deben primero tomar conciencia de qué tipo de respuesta poseen, para modificarlo si es necesario. Además, deben tener unas adecuadas habilidades sociales que les ayuden a evaluar correctamente las situaciones, a identificar qué emociones generan en ellos, para expresar sus sentimientos y deseos respetando a los demás, sin perder sus derechos y resolviendo los problemas en el momento de una forma eficaz y constructiva. Para conseguir todo esto debemos empezar desde el principio, siguiendo el proceso de todo aprendizaje para que el niño adquiera las conductas deseables.

Aprendizaje del comportamiento asertivo
Observamos y entendemos la conducta a conseguir.
Practicamos.
Nos felicitan y nos felicitamos por conseguirlo.

Para empezar, cuando un niño tiene dificultades para iniciar la interacción con otros, en casa se le puede **enseñar a través de modelos.** Los padres pueden hacer la conducta, se puede dramatizar con muñecos, con marionetas, etc. El uso de juegos de representación a través de muñecos o marionetas anima a pensar en las situaciones problemáticas sin estar dentro de las mismas, por lo que permite distanciarse de la emoción y ser más objetivo a la hora de decidir la actuación.

Tomar como referencia películas en las que se piden las cosas por favor o el otro indica que le está molestando. Si la dificultad estriba en perder, podemos enseñarles modelos de deportividad: un partido en el que se dan las manos, un concurso en el que se felicitan, etc.

Hay que tener en cuenta que los modelos negativos de peleas en el fútbol, baloncesto o cualquier otro deporte también enseñan, por lo que ante estas actuaciones hay que analizar con el niño la situación, y procurar que se refleje en el que protesta o se enfada, para que reflexione sobre su propia conducta, y posteriormente ayudarle a definir cómo debería haber actuado. En las películas infantiles también hay muchos elementos para la observación y posterior comentario: cuando envenenan a Blancanieves, cuando el padre de Simba muere porque le mata su hermano, cuando Bordemor amenaza a Harry Potter, cuando en el juego del Quidich no hay reglas limpias, etc. Estos modelos deben ser analizados para ver cuáles son sus objetivos y las emociones que los elicitan; por ejemplo, los celos que surgen porque la madrastra quiere ser más guapa que Blancanieves, o la envidia y la ambición en el caso del tío de Simba porque quiere ser el rey de la manada. También hablar con ellos sobre si es legítimo utilizar estas artimañas, y por último ponerles en el lugar del agresivo y del que ha sufrido la agresión. Este análisis posibilita a los niños tomar conciencia de que estos modelos son negativos y no es bueno utilizar sus estrategias.

Los modelos, tanto positivos como negativos, nos enseñan, ya que cuando nos identificamos con el modelo dañino tomamos conciencia de lo inadecuado de la conducta y del daño que produce en los otros, y hacerlo con el correcto sirve de base para el aprendizaje y la modificación de las conductas.

Juegos y actividades
Dramatización
Dramatizad con los muñecos o marionetas situaciones de conflictos, en las que el adulto toma un papel y el niño otro. Estableced un diálogo que favorezca la resolución, tal y como ya se ha expuesto. Para que sean más reales podéis recortar vuestras fotos y pegarlas en palitos de helados.
Fijaros en personajes, reales o de películas de dibujos animados, aquellos en que expresan la ira a través del lenguaje o piden las cosas por favor. Intentad que los niños jueguen a representar esos papeles.
Adivina y termina la frase
Jugad a que el otro termine frases: — Te agradezco que me hayas dejado… — Por favor, puedes dejar de…
Juego de mesa
Jugando aprendo a comportarme. Sapientito. Con este juego, que trabaja comportamientos correctos e incorrectos en casa, en el colegio y el parque, se puede trabajar con los niños para que identifiquen cuál es su comportamiento y lo comparen con la conducta adecuada, que dividan las conductas en buenas y en malas clasificándolas según unas caritas que vienen, etc.

Juegos y actividades
Cuentos
Colección valores para niños a través de la literatura infantil. Gabriela Carrera. Editorial Cultural, S. A. Para inculcar valores para los niños.
Colección Convivir del 1-6. Pilar Álvarez y Ana Aguilar. Editorial ESIN, S. A. Para fomentar el desarrollo de conductas incompatibles con la agresividad, reforzando una educación en valores.

Una vez que tenemos el modelo correcto de actuación, debemos **practicar para hacerlo bien.** Todos sabemos que sólo a través de la práctica conseguimos perfeccionar nuestros hábitos y costumbres. Normalmente, los niños que tienen una respuesta agresiva lo hacen de manera automática, lo que quiere decir que cuando el niño se encuentre en situaciones que le producen malestar va a utilizar este tipo de estrategias muchas veces sin pensar. Por eso, si queremos que los niños modifiquen su estilo de respuesta deben desaprender sus rutinas, para aprender e instaurar las conductas correctas. Si nuestro hijo muestra dificultades por ejemplo para compartir, tras haber observado modelos que comparten debemos enseñarle a que lo haga él. Por eso, antes de bajar al parque le ayudaremos a dramatizar cómo debe comportarse.

Para ello, le preguntaremos y le facilitaremos cómo dar la respuesta correcta si no la conoce:

—Cuando otro niño te pida el camión, ¿qué tienes que decirle?

—Vale, pero no te lo lleves lejos, o vale, pero jugamos juntos o ahora no puedo porque estoy jugando yo.

Si no sabe tolerar el perder, no ser elegido o no terminar el primero, le diremos:

—Cuando elijan a Luis antes que a ti, ¿qué tienes que hacer?

—Esperarme a que me elijan luego y estar en silencio.

Si no sabe aceptar la frustración, por ejemplo cuando le empujan sin querer o le cogen algo:

—Cuando te coja María la cuerda sin pedirte permiso, ¿qué tienes que hacer?

—Decirle que me devuelva la cuerda, porque es mía y ahora estoy jugando.

Para enseñarle y practicar con el niño debéis seguir las siguientes pautas:

1. Definimos qué debe hacer: presentarse y preguntar si puede jugar con los demás.
2. Pedirle que lo ensaye: Me llamo Fernando, ¿puedo jugar con vosotros?
3. Si el niño no sabe hacerlo, el papá o la mamá le dirá qué tiene que decir y cómo, e invitará al niño a repetirlo.
4. El niño lo repetirá.
5. Antes de bajar al parque pediremos al niño que nos diga qué debe hacer antes de ponerse a jugar con otros niños. Le reforzaremos por hacerlo bien.
6. Cuando estemos en el parque, antes de que se dirija a los niños le pediremos de nuevo que nos lo diga.
7. Observaremos cómo lo hace para:

   — Guiñarle un ojo o mostrar el signo de victoria si lo ha hecho bien.
   — Si ha tenido un resultado inadecuado, cuando vuelva analizarlo con él y averiguar qué ha salido

mal. Es importante no enfadarnos ni menospreciarle; hay que acogerle y animarle para que lo intente de nuevo y lo consiga. Para ello seguiremos practicando.

Lógicamente, estas conductas no van a aparecer inmediatamente cuando se produzca la situación emocional, ya que sólo después de practicarlas muchas veces y reforzar a los niños por hacerlo conseguiremos que formen parte de su repertorio de actuación.

Juegos y actividades
Mímica y gestos
Pensar en una acción que luego deberéis representar por turnos con gestos y sin hablar, mientras los otros lo adivinan.
Jugar a las películas. Dividiros en dos grupos. Uno escribe una película en un papel y un miembro del otro equipo debe posibilitar a su compañero, a través de gestos y la dramatización, que adivine cuál es. Luego lo hará el otro equipo.
Juego simbólico
Utilizar muñecos como playmobil, accion-man o barbies. Utilizar vuestro muñeco para sugerir una situación en la que el niño tiene dificultades, y hacer que practique a través del muñeco qué tipo de verbalizaciones debe realizar para ser eficaz en la resolución.
Reforzar el juego simbólico de roles en el que los niños realicen conductas adecuadas. El dependiente que le pregunta al cliente: «¿Qué desea?». El médico que le dice al enfermo: «Por favor, dígame dónde le duele». La maestra que le dice al alumno: «Te ha salido muy bien».
Cuentos
Preparándome para ir de cumpleaños. Carmen Sara Floriano y otros. Editorial CEPE. En este cuento se reflexiona sobre la importancia de trazarse un plan fijando unas reglas.
No te desanimes. G. Berca y L. Reixach. Este cuento trabaja la importancia de practicar y ser perseverante hasta que las cosas nos salen.

Cuando ya hemos observado cómo debemos actuar y hemos practicado mucho, es normal que las cosas nos salgan bien. Por eso, cuando nuestro hijo en el parque ante nuestra negativa por ejemplo de comprar chuches haya conseguido sus objetivos le guiñaremos un ojo, le daremos un aplauso o le felicitaremos por ello.

Si os dais cuenta, lo que os propongo es que se elimine el uso del **no** y del **castigo,** sustituyéndolo por el aprendizaje de **comportamientos adecuados que son reforzados.**

El fijar un objetivo y ayudar al niño a conseguirlo le va a dar la capacidad de saber hacia dónde se dirige y ser independiente en su consecución, ayudándole a interiorizar modelos de comportamiento adecuado, y por consiguiente a aumentar su autoestima.

Imaginemos que cada vez que le decimos a nuestro hijo que debe recoger la habitación, él tiene una respuesta negativa y expansiva en la que nos grita y cierra la puerta, y nosotros le gritamos *«¡no te consiento que actúes así, castigado sin jugar a la consola!».* De esta manera no le estamos enseñando nada, ya que en muchos casos el niño es probable que no sepa por qué se le castiga, si por no haber recogido la habitación, por haber gritado o por haber cerrado la puerta de golpe. Por el contrario, si le ayudamos dándole pautas, enseñándole y reforzándole por ello, es muy probable que se modifique el comportamiento implantando otro en su lugar.

No obstante, la administración de los refuerzos debe hacerse con rigor y de manera correcta, ya que un uso abusivo de los mismos disminuye la tolerancia a la frustración y el desarrollo del esfuerzo y la responsabilidad en los niños. Como todos sabéis, ***los refuerzos implican recompensas por algo que se ha realizado correctamente***, ayudando a implantar, aumentar y fortalecer la conducta.

A través del refuerzo
El niño es premiado por la conducta adecuada, que es la que nosotros queremos instaurar.
Motiva al niño a repetir la conducta para volver a obtener el premio, ya que es por todos sabido que tendemos a repetir aquellos actos por los que se nos premia.
La autoestima de los niños aumenta porque se ven capaces, y el entorno se lo ratifica con el premio.

Es muy importante que los niños sepan que el refuerzo es resultado de su comportamiento; por eso **debe administrarse inmediatamente después de la conducta** y debe explicarse el porqué se le da, para que asocie perfectamente su comportamiento con el resultado que obtiene.

Si cuando gane alguien que no seas tú permaneces tranquilo y felicitas al otro, echaremos otra partida.

Principios para que el refuerzo sea eficaz
1. Debe ser algo gratificante para el niño. 2. Se administrará inmediatamente después de la conducta a reforzar. 3. El niño debe saber que es el resultado de su comportamiento. 4. Al inicio del aprendizaje el reforzador se aplica de forma continua a la conducta, para ir espaciándolo después y reforzar intermitentemente. 5. Al principio es importante que al niño le resulte fácil obtener el refuerzo para que aumente su motivación a la hora de repetir la conducta. 6. Hay que explicar el porqué del premio. No se puede decir «por portarte bien», sino: «te doy esta galleta de chocolate por haberte comido todo». 7. La recompensa debe gustar al niño; nos debemos cerciorar de ello y no elegir nosotros el refuerzo. 8. Siempre que podamos asociaremos la recompensa al comportamiento. Cuanta más relación tenga, mejor.

El uso del refuerzo nos va a posibilitar crear conductas que no existen en el repertorio del niño, como por ejemplo que nos hable en un tono correcto cuando no está de acuerdo. También facilita que aumenten conductas cuya frecuencia es baja, como que el niño espere y respete su turno en el tobogán. Esto posibilita que indirectamente disminuyan o sean sustituidas las conductas negativas.

Hay dos formas de reforzar una conducta:

- **Refuerzo positivo**: cuando la ***consecuencia de la conducta es obtener algo positivo***. Ejemplo: cuando Mónica de 7 años le deja a su amiga su muñeca para que la peine, su madre le guiña el ojo y la sonríe.
- **Reforzador negativo**: cuando la ***consecuencia de la conducta es la desaparición de una situación desagradable***, y por tanto la consecuencia es positiva. Ejemplo: si a Luis no le gusta la fruta, y cada vez que su madre se la pone dice que va a vomitar porque le sienta mal y empieza a hacer arcadas; si su madre le retira la fruta y le da un yogurt, la probabilidad de que Luis vuelva a hacer arcadas cuando su madre le ponga algo que no le gusta es muy alta, porque ha aprendido que si da arcadas o vomita le retiran lo que a él le desagrada: la fruta, el pescado, etc. Así pues, el vómito o la arcada tienen una consecuencia agradable: no comer lo que no le gusta.

Es muy importante estar atentos sobre todo al refuerzo negativo en la agresividad, ya que cuando el niño tiene una reacción muy intensa se produce una gran activación fisiológica que debe ser descargada. En muchos casos, a través del golpe, el grito o el mordisco el niño descarga toda su tensión emocional, por lo que tras estas conductas se siente mejor y más relajado. Por eso inicialmente, y cuando todavía el niño no ha aprendido a canalizar adecuadamente su ira, puede ser necesario que le posibilitemos actividades alternativas que le permitan tener la descarga motriz que precisa. Para ello debéis explicarle que a veces cuando nos enfadamos hay una energía interna que debemos sacar afuera para que no nos haga daño, y que hasta que sepa hacerlo de otro modo le vamos a permitir que cuando esté muy enfadado pueda por ejemplo golpear su almohada, rasgar una hoja de revista en trocitos pequeños, golpear fuertemente el balón si estamos en el campo, etc.

Existen varios tipos de reforzadores positivos:

1. **Los reforzadores materiales**: chucherías, juguetes, objetos, dinero, etc.
2. **Los reforzadores de actividad**: son actividades agradables para el niño: ir al cine, ver la televisión, jugar a la videoconsola, bajar al parque, etc.
3. **Los reforzadores sociales**: son conductas que hacen los demás y resultan gratificantes para el niño: la atención, un beso, una sonrisa, palabras de elogio, la aprobación, el reconocimiento, etc.
4. **Los reforzadores secundarios o intercambiables**: las fichas o puntos. Se dan fichas a los niños por realizar la conducta, y posteriormente se le cambian por cosas materiales o de actividad.

Hay que tener presente que los reforzadores materiales y los de actividad son muy potentes, pero que hay que alternarlos, ya que si se utiliza siempre el mismo deja de ser efectivo porque disminuye la motivación del niño por lograr el refuerzo. Estas recompensas son muy útiles en el inicio del aprendizaje de la conducta.

Es conveniente que, junto al reforzador material o de actividad, utilicemos el social, para que cuando desvanezcamos el uso de los mismos, porque se retire el reforzador tangible, se mantenga el refuerzo social.

Muchos padres piensan que es absurdo premiar a los niños por aquellas cosas que deben realizar, porque es su deber y ya está, pero nunca debemos olvidar que los adultos trabajamos a cambio de dinero, que si un día nos dicen que estamos muy elegantes con un determinado traje volvemos a ponérnoslo, que las compañías aseguradoras bajan las primas por no tener siniestros, etc. Por eso es lícito utilizar el premio cuando nuestros hijos estén aprendiendo algo nuevo o cuando tienen dificultad para hacerlo.

Como he indicado ya, debemos ser conscientes de que es muy frecuente que mientras nuestro hijo juega tranquilamente no le digamos nada por su buen comportamiento, pero que cuando comience a gritar o a molestarnos le regañemos y le pidamos que se vaya a su habitación y siga tranquilo. Si mientras se vuelve a comportar bien no le decimos nada, ni le prestamos **atención,** y sí lo hacemos cuando lo hace mal, estamos reforzando el mal comportamiento, ya que le prestamos atención social al hacer algo negativo.

Debemos recordar que los premios sociales tienen más ventajas que los materiales, ya que siempre disponemos de ellos, no tenemos por qué eliminarlos nunca, y se pueden recibir por todas las personas en diferentes entornos. No suponen un coste material y los niños se esforzarán mucho por conseguirlos, ya que no hay que olvidar que lo más importante para los niños es la aprobación y el elogio de sus padres, lo que añade, además, un sentimiento de valoración y autoestima.

Para trabajar el refuerzo de comportamientos adecuados, yo suelo utilizar un cuento que nos hace reflexionar tanto a los adultos como a los niños. Aparece en el libro *Cuentos que ayudan a los niños,* de Gerlinde Ortner, publicado por la editorial Sirio. Se titula **Tomás y el Cuervo Negro**, y cuenta la historia de un niño que se comporta muy mal y tiene problemas con sus padres y amigos y por eso le temen. A partir de la visita de un Cuervo Negro que le explica que a él también la ocurrió esto cuando sentía que sus padres no le hacían caso, consigue reflexionar sobre sus comportamientos y cambiar de forma de actuar, a través del autocontrol, con una técnica que le da el cuervo.

A continuación o propongo actividades que podéis hacer con el niño a partir de este cuento.

Trabajo con el niño
Pedidle que identifique comportamientos suyos parecidos a los de Tomás y el cuervo.
Ayudadle a definir qué siente cuando cree que sus padres no le prestan atención y esto le lleva a hacer cosas inadecuadas.
Buscad con él los pensamientos que tiene cuando se enfada o cuando le regañan.
Reflexionad sobre si le gusta enfadarse, discutir, pegar y que los demás se separen de él.
Buscad con él pequeñas actividades que impliquen que le tomáis en cuenta y que es alguien importante para la familia. Sed pacientes al principio, porque si le regañáis o discutís por no hacerlo seguiréis reforzando comportamientos inadecuados y no podréis modificar el círculo vicioso.
Haced un listado de conductas que debe aprender a realizar correctamente en cuanto a la conducta en casa y con sus amigos y seguid las pautas que ya os he dado y conocéis.
Pedidle que dibuje lo que le ha gustado más o le ha resultado más signifativo.

Puntos para nuestra reflexión
• ¿Cuánto tiempo de atención recibe mi hijo de mí? • ¿Sólo le presto atención cuando se porta mal y entonces le regaño? • ¿Qué pienso, siento y hago cuando creo que mi pareja o mi amigo no me presta la atención debida? • ¿Qué información recibe mi hijo sobre sus cualidades y capacidades? • ¿Le doy responsabilidades adecuadas a su edad? ¿Tolero los fallos porque está aprendiendo o le reprendo severamente? • ¿Tengo en cuenta a mi hijo a la hora de tomar decisiones sobre él? • ¿Cuántas veces le digo a mi hijo «confío en ti»? • ¿Le refuerzo los comportamientos adecuados que pretendo instaurar en él?

6. Desarrollar la empatía

La empatía es quizá una de las tareas más fáciles de trabajar, pero a la vez más difíciles de conseguir. Podemos definir la empatía como la capacidad para ponerse en el lugar del otro, entendiendo lo que siente porque comprendemos lo que piensa y sabemos de sus necesidades, o, tal como dice un refrán, «caminar un rato en sus zapatos».

No obstante, es muy frecuente confundir empatía con adaptación o conformismo. Ser empático es comprender al otro, factor que no implica de ninguna manera el modificar nuestros pensamientos o estar de acuerdo con él. Es simplemente ponernos en su lugar para entender lo que ha hecho y por qué, aunque nosotros no lo compartamos.

Es importante enseñar a los niños a ponerse en el lugar del otro, para saber cómo se siente. Cuando nuestro hijo pegue a otro niño se le debe preguntar:

—Si a ti te pegan, ¿cómo te sientes?, ¿te gusta?

Cuando nos gritan y nos contestan de manera iracunda, se le puede decir:

—Si mamá te gritara cuando no le obedeces en el momento, ¿te parecería bien, te gustaría?

Cuando yo era pequeña, recuerdo que cuando mis hermanos y yo protestábamos porque algo que había hecho mi padre nos había parecido mal, nos contaba la **historia del padre, el hijo y el burro**. La historia la recuerdo así:

Un día pasó por un pueblo un padre con su hijo, que iba montado en un burro. Al verlo la gente del pueblo comentó: «Hay que ver qué poca vergüenza tiene el niño, que permite que su padre vaya andando». Al oír esto, el padre bajó al niño y se subió al burro. Al pasar por el siguiente pueblo las afirmaciones seguían siendo de reproche: «Qué tipo de padre tiene que ser, cuando deja que la pobre criatura vaya andando». Ante estas nuevas observaciones el padre subió al niño con él en el burro, cuando de nuevo la gente opinó:

«¡Mira al pobre burro, le llevan agotado de ir los dos montados encima de él!». Entonces el padre y el hijo se bajaron del burro y la gente del siguiente pueblo se rió de ellos al contemplar que ninguno de los dos iba en el burro.

Al terminar la historia, que nos contó muchas veces porque nos encantaba, mi padre siempre decía lo mismo: «es imposible dar gusto a todo el mundo, y mucho más ponerse en el lugar del otro».

Para trabajar la empatía con los niños, aprovechad los hechos cotidianos, y cuando veáis una película o contempléis una situación en la que una de las personas está siendo agredida, haced que se ponga en su lugar y que reflexione sobre cómo se sentirá la otra persona. Hacedle ver que él a veces se pone así, y que es importante autorregularse para que esto no ocurra.

En este apartado debéis también trabajar sobre vosotros mismos; es decir, cuando toméis conciencia de que habéis gritado a vuestro hijo o regañado con fuerza, hay que preguntarle: ¿cómo te sientes?, para que él exprese sus sentimientos, y vosotros lleguéis también a empatizar, entender y modificar vuestras actuaciones.

Uno de los factores fundamentales para trabajar la empatía es favorecer la escucha activa, que tal y como ya hemos definido implica atender al mensaje verbal y no verbal del otro. Sólo así podremos observar eficazmente los sentimientos y actuaciones de los demás, descubriendo sus opiniones y necesidades. Pero para escuchar activamente, el niño primero debe conocer su cuerpo, sabiendo identificar sus propios sonidos y manifestaciones, para posteriormente atender a los objetos, el entorno y finalmente a los demás.

Para trabajar la empatía os propongo un cuaderno que nosotros llevamos ya haciendo desde hace tiempo en casa, porque nos ayuda mucho a saber cómo se sienten los otros; y es una especie de diario de familia, que nos gusta volver a leer de vez en cuando. Este cuaderno se le ocurrió a mi hijo mayor cuando tenía diez años, y desde entonces lo venimos realizando.

«EL CUADERNO DE LOS SENTIMIENTOS»

Comprad un cuaderno y adornadlo e id escribiendo cada uno los sentimientos que se van teniendo:

— Me he sentido muy mal cuando me has gritado porque no he recogido los juguetes.
— Estoy muy contenta porque has arreglado mi muñeca.
— Creo que no has pensado en mí cuando has roto mi pulsera.
— Me ha encantado que recogieras la mesa, porque así hemos podido ver todos la película.

Juegos y actividades	
Adivinanzas	
Proponed al niño una situación y pedidle que diga lo que sentirá la otra persona.	
Si pasa	**Se siente**
Cuando Luis se cae porque le has puesto la zancadilla.	Triste porque no soy su amigo y le he hecho daño.
Si le quitas un juguete a María.	Enfadada contigo y triste porque no puede jugar con él.
Al recibir Pedro tu regalo.	Alegre porque era lo que deseaba.
Juegos de comunicación no verbal	
• Haced gestos faciales que impliquen emociones, para que los otros los adivinen.	
• Utilizando un tono de voz enfadado, triste, alegre...; hablad pero con números, con una letra, etc.	

• Jugad con un teléfono haciendo que hablamos con alguien, para que los niños averigüen qué le pasa a la otra persona y cómo se siente. — ¡Sí!, ¿no me digas? ¡Qué bien!, ¡una niña! — Estás hablando con alguien que está muy contento porque su amigo o familiar ha tenido una niña.
Invertir los roles
• Cambiad durante unas horas los papeles en casa, que el niño sea la madre, la madre el padre, el padre el niño, etc. Comentar después como os habéis sentido, y comentad de qué cosas os habéis dado cuenta.
¿Qué oímos?
• Pedid a vuestro hijo que cierre los ojos y diga todo lo que escucha: sonidos de casa, de la calle, de su cuerpo, etc.
• Juegos didácticos de identificación de sonidos.
¿Qué ha pasado?
• Coged fotos de rostros con diferentes emociones y haced con cada una una historia que explique por qué la persona está así. Luego comparadlas y comentadlas, eligiendo la que creéis que es verdadera. Si la foto corresponde a alguna noticia, comprobad quién tenía razón.

7. Aprender a rectificar y pedir perdón

Cuando un niño grita, pega, se opone, rompe, etc., como consecuencia de su expresión emocional, está produciendo un malestar importante tanto en el entorno como en sí mismo.

Si bien, como hemos visto, hay que tener empatía y comprender que es una forma de exteriorizar lo que se siente, además es importante que el adulto ayude al niño a percibir el significado y las consecuencias que ha tenido esa manifestación, no sólo para que tome conciencia de lo que ha hecho, sino para que restituya el daño que ha producido, bien verbal, física o materialmente.

Esto permite al niño comprender que podemos molestar e incluso herir a las personas que queremos cuando perdemos el control; también que, aunque debemos evitar que pase, a veces puede ocurrir; en ese caso debemos reconocer que hemos cometido un error y que, aunque no podemos borrar lo que ha pasado, sí podemos disculparnos, como punto de partida para introducir modificaciones en nuestro comportamiento.

Sólo cuando el niño reconoce su falta, puede responsabilizarse de su actuación y corregir las consecuencias de su conducta.

Formas de reconocer su comportamiento y enmendar sus conductas
1. Cuando ha habido una agresión verbal o física, el niño pedirá perdón a la otra persona, verbal («perdóname, no lo volveré a hacer») y/o físicamente (abrazando o besando).
2. Si en la disputa se han desplazado o caído cosas, el niño deberá poner los objetos en su sitio si ha habido algún desorden del entorno.
3. Si como consecuencia de la expresión de la ira se ha roto algo, intentaremos que lo pegue o arregle.
4. Si no se puede recomponer, el niño deberá restituirlo por otro objeto, bien comprando uno nuevo sacando el dinero de la hucha, o bien dando uno suyo igual o similar al destrozado.

No obstante, hay ocasiones en las que el conflicto ha llegado a un punto tan álgido, con un nivel de excitación muy alto, que los niños se niegan a pedir perdón en el momento del conflicto. Es conveniente no insistir mucho en estos períodos porque puede resultar contraproducente, y en muchos casos empeora la conducta, ya que, desde la emoción, ambas partes del problema pueden creer que tienen razón, de modo que la intensidad de la conducta aumente.

Hay veces que insistimos en que los niños, después de haber estado altamente enfadados, se besen, abracen y se pidan perdón. Imaginaos que vosotros tenéis una acalorada discusión con un amigo y seguís pensando que no tiene razón, y justo después os pidieran que os dierais un beso y un abrazo y os fuerais a tomar café como si nada hubiera pasado. No creo que muchos lo veáis factible. Por eso debemos ser empáticos con los niños y tener en cuenta este aspecto.

Cuando por ejemplo nuestros hijos o dos niños están discutiendo acaloradamente, es importante que inicialmente se separe a los implicados en el problema hasta que se tranquilicen y puedan así distanciarse de la emoción, y disminuir su nivel de activación fisiológica. Posteriormente, cuando todo se haya calmado, debéis sentaros con los niños a analizar la situación. Es importante que intentéis que siempre sea el mismo sitio, el sofá del salón, la mesa de la cocina o un banco en el parque, con el fin de que lo vivan como un sitio estable de comunicación donde se tendrá un tiempo para el diálogo y la resolución. Yo en casa utilizo los sofás del salón para que todos podamos tener una buena comunicación, ya que favorece el contacto ocular pero estamos lo suficientemente separados como para distanciarnos. Después sigo una serie de pautas que implican:

1. Determinar qué ha ocurrido, para que cada uno identifique su papel en el conflicto y qué lo ha generado.
2. Indicar qué ha hecho cada uno como respuesta a su ira.
3. Enumerar cada uno los sentimientos que ha tenido.
4. Definir cómo deben comportarse la próxima vez.
5. Sellar la paz con un abrazo o un beso y recomponer el entorno si es preciso.

Cuento
La jirafa Timotea. Begoña Ibarrola. Cuentos para sentir. SM. Este cuento ayuda a los niños a ver lo importante que es reconocer los errores como punto de partida para el cambio. También trabaja la empatía.

Cuando hayáis determinado qué se debiera haber hecho en vez de la conducta agresiva, es fundamental que también habléis de la importancia de reconocer cada uno su parte en el conflicto y pedir perdón y/o arreglar el entorno siempre que sea necesario.

Al usar esta técnica es muy importante no hacer sentir culpable al agresor, ni víctima al agredido, sino crear un clima de empatía donde se comprendan las emociones, se descubra el porqué de los conflictos, se busquen otras alternativas de afrontamiento y se admitan los errores, enmendando las conductas.

Pero sobre todo tenéis que tener cuidado cuando vosotros sois el agredido y el niño el agresor. Muchos padres me dicen enfadados que su hijo, después de comportarse mal, se acerca a ellos pidiendo el perdón y el abrazo, y que por supuesto ellos les dicen que no. Esta conducta de los padres es muchas veces vivida por los niños como un rechazo emocional, lo que les hace sentirse como malos y sin derecho a ser perdonados. Pues bien, es en estos momentos cuando los padres debemos acoger y amar a nuestros hijos, ya que lo difícil no es achucharles o besarles cuando son cariñosos, obedientes y amorosos, situaciones en las que nuestro beso o abrazo tiene una significación relativa. Lo importante es demostrarles que les seguimos queriendo a pesar de todo, y que nuestro amor es incondicional a pesar de estar enfadados. Todos sabemos que cuando más necesitamos el amor de los otros es cuando hemos cometido un error o lo hemos hecho mal, y por eso solicitamos el perdón. Si ante dicha petición recibimos rechazo y recelo por parte del otro, nos sentiremos cada vez peor y muchas veces esto generará más ira que expresaremos inadecuadamente. Por eso es fundamental que los padres acojamos a nuestros hijos en esos momentos a pesar de nuestra ira, para hacerles sentirse personas importantes y relevantes para nosotros, a los que queremos por encima de todo.

Para ser efectiva la sobrecorrección
La corrección tiene que estar relacionada con la conducta. Por ejemplo, si ha roto un juguete debe pedir perdón e intentar repararlo; no nos sirve de nada que recoja el cuarto.
Hay que realizarla inmediatamente después de la conducta, con la salvedad indicada anteriormente.
Mientras realiza la sobrecorrección no puede obtener ningún tipo de refuerzo.
La duración debe ser moderada y no exceder de los 3 o 4 minutos.
Debéis estar preparados para que el niño proteste, o incluso aumente la conducta agresiva.

8. Aprender a resolver problemas

Ya hemos hecho referencia a que los niños responden en muchas ocasiones de una manera agresiva porque realmente no saben actuar ni responder de otra forma, es decir, les faltan habilidades para solucionar sus problemas de un modo diferente. De ahí la importancia de enseñar cuanto antes a los niños técnicas para que sepan solucionar los problemas de la manera más adecuada. Sin duda, al igual que la respuesta asertiva, éste es un campo a trabajar durante toda la infancia, ampliando la complejidad de los planteamientos.

A través del entrenamiento en resolución de problemas se enseña a los niños a desarrollar los pasos necesarios para dar soluciones alternativas a la agresión en diferentes situaciones interpersonales, desarrollando competencias cognitivas que le permitan autorregular su conducta. Al practicar con los niños se les favorece la confianza en sí mismos, ya que aumenta su eficacia a la hora de relacionarse con los otros. Además, a través de este aprendizaje estamos estableciendo vías de comunicación entre la parte emocional y cerebral.

Lo que pretendemos es que el niño, primero con la ayuda del adulto y después solo, aprenda a evaluar los problemas, generar diferentes soluciones y tomar decisiones de un modo adaptativo que refuerce su sentido de valía personal y que le posibilite una mejor adaptación al medio, así como un mayor bienestar emocional. Es crucial transmitir al niño que los problemas forman parte de nuestra vida y que no son algo negativo a lo que tener miedo, sino algo cotidiano a lo que nos debemos saber enfrentar.

Cuento
Peligro en el mar. Begoña Ibarrola. Cuentos para sentir. SM. Este cuento ayuda a los niños a ver que todo tiene solución si la buscamos.

En las habilidades de resolución de problemas, tenemos que tener en cuenta que el niño debe poseer una serie de capacidades que le permitan poner en marcha las habilidades cognitivas que nos posibilitan una adecuada resolución. Entre las mismas se encuentran:

1. Capacidad de observación para saber qué está pasando.
2. Un lenguaje comprensivo y expresivo que le permita comprender a los otros y expresarse.
3. Un correcto desarrollo de la empatía.
4. Un buen pensamiento reflexivo y control inhibitorio.

Creo que todos hemos visto alguna vez un conflicto entre niños, que cuando son contados en primera persona no se parecen en nada a la realidad. Esto se debe a que los niños aportan al conflicto toda una experiencia previa que implica vivencias anteriores similares con el otro niño o niños, conflictos parecidos, y sobre todo una serie de creencias derivadas de ellos, que van a condicionar la percepción de la situación. Por eso es frecuente que nos digan «es que nunca me deja jugar», «es que es un chulito y ya no le aguanto», «estoy harto de que siempre quiera llevar la razón». Estas percepciones previas al conflicto van a condicionar la percepción del mismo, y por tanto un apropiado procesamiento de lo que ha ocurrido. De ahí que tengamos que favorecer en nuestros hijos una adecuada percepción de las cosas que les ocurren, para realizar sobre todo una buena identificación del problema, como veremos más adelante.

En otros casos no contamos con que el nivel lingüístico del niño no le permite comprender a los otros y expresar correctamente lo que quiere decir. No es infrecuente en los niños con dificultades conductuales que sus niveles comunicativos a veces no correspondan con su edad cronológica o que pretendan interaccionar con niños mayores que tienen otro nivel linguístico. Este aspecto condiciona por ejemplo la comprensión de las reglas del juego, que le llevan a actuar inadecuadamente y que, como consecuencia, no comprenda por qué los demás se enfadan con él, no observando su parte en el conflicto. Por eso es fundamental que detectéis si vuestro hijo tiene alguna carencia lingüística, por pequeña que os parezca, que pueda estar afectando a sus relaciones sociales y a la resolución de problemas.

En cuanto a la empatía, ya hemos dedicado un apartado a este aspecto tan importante, pero es preciso tener en cuenta que difícilmente voy a intentar resolver mis problemas de otra forma si no soy consciente del daño que produzco en el otro y soy capaz de ponerme en lo que está sintiendo cuando le insulto o le rompo las cosas, ya que, como hemos visto, la solución agresiva es rápida y eficaz, y por tanto me permite conseguir mis objetivos, lo que raramente me llevará a plantearme que debo cambiar, a no ser que el aislamiento social que puede llegar a producir el uso reiterado de la agresividad genere tal malestar en el niño que le haga pensar que debe cambiar.

Para trabajar con los niños la orientación al cambio os recomiendo el libro **Quién se ha llevado mi queso para niños**, de Spencer Jonson, publicado por la editorial Urano. Este cuento os permite, a través de la lectura, y con el refuerzo de los dibujos, reflexionar con los niños sobre lo importante que es cambiar cuando las cosas no nos van bien, y cómo los que debemos modificar nuestra actuación somos nosotros, no debiendo esperar que sean los otros los que cambien y se adapten a lo que nosotros necesitamos.

Por último, pero no menos importante, también es preciso que el niño sea reflexivo y no actúe sin pensar cuando se encuentra en la situación. Cuántas veces observamos a nuestros hijos, aun sabiendo qué es lo que tienen que hacer, cometer fallos importantes por lo precipitado de su respuesta y porque no han tenido en cuenta aspectos de la situación en la que se hayan inmersos. En el siguiente apartado nos dedicaremos por entero al autocontrol, un aspecto fundamental sobre todo a la hora de poner en marcha las estrategias elegidas para resolver los conflictos de otra manera.

Para resolver eficazmente los problemas que nos surgen a diario debemos poseer habilidades cognitivas que nos permitan saber cuál es el problema, qué lo causa y qué puedo hacer para solucionarlo, anticipando qué puede ocurrir si elijo cada solución, y por último trazarme un plan para poner en práctica la solución elegida, felicitándome si lo he conseguido o revisando mi plan para modificarlo si me ha salido mal.

Entrenamiento en resolución de problemas
• Definición del problema.
• Quién tiene el problema.
• Posibles soluciones.
• Consecuencias de cada una de las posibles soluciones.
• Elección de la mejor solución.
• Puesta en práctica.
• Reforzar si el resultado ha sido positivo.
• Revisar el proceso si ha habido un error.

1. Identificación del problema

Para realizar una adecuada resolución de problemas, lo primero que debemos hacer es ser capaces de identificar claramente cuál es el problema, definiéndolo en términos comprensibles, y determinar quién o quiénes lo tienen.

Si se realiza bien este proceso, habremos sido capaces de realizar un adecuado planteamiento causal: ¿cuál es la causa de mi problema? Sólo ante esta premisa podremos realizar una buena resolución. De este modo, si cuando me peleo con mi hermano siempre pienso que la culpa es de él y que me tiene manía, difícilmente podré poner en marcha un adecuado sistema de resolución. Por el contrario, si defino mi problema como: *«siempre que mi hermano tiene la consola a mí también me apetece jugar, y por eso le grito y terminamos discutiendo»*, tomaré conciencia de que el problema no es mi hermano, sino lo inadecuado de mi percepción y actuación.

La definición del problema se consigue de una manera eficaz si enseñamos a los niños a observar atentamente lo que ha pasado, reuniendo información de lo que ha ocurrido, y viendo qué necesidades se han visto comprometidas y en quién.

Una vez que el niño sabe establecer cuál es su problema y quién está implicado en el mismo (sólo hay una consola y los dos queremos jugar con ella), el niño tiene que planificar su actuación, para conseguir solucionar el conflicto a través de la generación de alternativas y previsión de consecuencias, para posteriormente elegir la mejor.

Juegos y actividades
Juegos de percepción visual
El lince de Educa. Permite que el niño aumente su rapidez a la hora de percibir y encontrar los estímulos que se le piden.
Jugar al veo veo. El niño o vosotros pensáis en un objeto de la habitación, el coche o la calle, y los demás lo deben adivinar. Es importante que lo estéis viendo para favorecer la percepción.
Libros y cuentos que trabajan la percepción visual
Busca y encuentra. Editorial Todolibro. (Para pequeños). Los niños tienen que buscar animales u objetos que se le piden. *Misterio en la subasta*. Anna Nilsen. Blume. (A partir de 8 años). Además de la percepción trabaja el pensamiento lógico, ya que deben descubrir quién ha robado un cuadro y cuál ha sido. *El castillo misterioso.* Susaeta *En busca del dragón.* Ed. Usborne.
Adivinar que está pasando
Elegid una imagen de cualquier libro infantil, en el que los rostros representen emociones y la situación en la que está apareciendo. Por ejemplo, si elegís en el cuento de Blancanieves la imagen de la madrastra enfadada contemplando el espejo, debéis preguntarle: 1. ¿Tiene un problema? Sí, que Blancanieves es más guapa pero ella quiere ser la más guapa. 2. ¿En qué se lo notas? En que tiene la cara enfadada. 3. ¿Quién tiene el problema? La madrastra, porque quiere ser más guapa y no puede.
Cuento
La gymkhana de las emociones. Carmen Sara Floriano y otros. CEPE. Este cuento tienen orientaciones para padres, que os permiten trabajar la causalidad y también la empatía y las posibles soluciones al problema.

Juegos y actividades
Cuento
Sara no quiere ir al colegio, Sara no quiere comer en el colegio. Cristian Lamblin, Régis Faller y Charlotte Roederer. Editorial Edelvives. Para trabajar la resolución de problemas relacionados con el colegio.

2. Generación de alternativas

La importancia que tiene enseñar a los niños a generar alternativas se encuentra en el hecho de formar personas con más posibilidades de elegir, y por tanto de tomar decisiones de forma libre.

La generación de alternativas implica el pensamiento divergente, es decir, la flexibilización mental para dar diferentes ideas. No obstante, los adultos tendemos a exigir a los niños que den una respuesta rápida y eficaz, lo cual, sobre todo en el caso de los niños impulsivos y/o automáticos, es contraproducente, ya que impide generar otras soluciones cuando la situación es similar pero diferente, e implica generar nuevos procedimientos de actuación. El no generar diferentes alternativas significa que el niño automatiza la respuesta, lo que no ayuda ni favorece la autorregulación ni el autogobierno. Además, si la respuesta automática es inadecuada, impedirá al niño tener éxito o ser eficaz, lo que generará un sentimiento alto de frustración y malestar que, en determinados casos, como en los niños altamente impulsivos, acaba derivando en una baja autoestima.

Es fundamental no realizar críticas negativas sobre la generación de alternativas de los niños, aunque éstas sean extrañas o inadecuadas. Recuerdo un partido de baloncesto de niños de 8 años, en el que la pelota quedó atrapada entre el aro y la tabla de la canasta. Todos los niños que allí se encontraban, excepto uno, saltaban con todas sus fuerzas para alcanzar la pelota. Este niño, tras observar lo que estaba pasando, se dirigió con calma al poste de la canasta, lo agarró y lo sacudió, cayendo inmediatamente la pelota al suelo. Esta solución, que por creativa y extraña la podríamos haber tachado de descabellada, fue la que en realidad resolvió el problema. Por eso debemos dar la oportunidad a los niños de comprobar y evaluar las alternativas que generan sin criticarlas, ya que, de lo contrario, los niños terminan siendo inseguros, porque no saben nunca si lo van a hacer bien, y terminan por no emitir conductas por el miedo al fracaso.

Hay un factor importante que desajusta mucho a los niños y les provoca errores en la realización de la tarea. Son aquellas situaciones que el niño no conoce, le causan miedo o implican superar dificultades. En todas ellas se produce una emoción que, si bien es adaptativa, implica en muchos casos la generación de pensamientos negativos y actuaciones equivocadas. Me estoy refiriendo a la ansiedad, que es una emoción que nos prepara para hacer frente a situaciones novedosas o amenazantes. Todas las situaciones que generan ansiedad son frecuentes en la vida de los niños, debido a su corta edad: acudir a un nuevo colegio, ir al cumpleaños de un amigo, haber hecho mal la tarea, etc. En estos momentos es fundamental que el niño sepa generar muchos comportamientos alternativos para afrontar las tareas con éxito, ya que cuando esto no ocurre puede exhibir comportamientos agresivos si no sabe qué hacer.

En otros casos los niños son tan inflexibles y seguros que están convencidos de que sólo hay una solución, que es la suya. Estos comportamientos automáticos son típicos de niños agresivos cuya respuesta es pegar, gritar o increpar ante cualquier tipo de evento negativo. En estos casos en los que los enfrentamientos directos pueden ser importantes, es fundamental que los padres trabajemos con paciencia el pensamiento creativo y divergente, para demostrarles la posibilidad de que existen otras formas de resolver los problemas.

Si bien el entorno va a exponer sin duda al niño a situaciones complicadas, es muy importante que los educadores le planteen de manera controlada situaciones de este tipo para que el niño construya su propio aprendizaje en lo que a resolución de problemas se refiere, pues el hacerlo de forma sistemática ayudará al niño a aprender, y al padre a observar en qué puntos debe insistir más. Según Piaget, para que un aprendizaje se produzca debe existir un desequilibrio entre lo que el niño conoce y sabe resolver, y nuevos retos o situaciones en los que debe aplicar nuevas estrategias para solucionarlos. Aquí es donde entra el pensamiento divergente, ya que en la medida en que el niño inventa soluciones para buscar de nuevo el equilibrio, éstas no son más que el nuevo aprendizaje. Nunca debemos olvidar que nosotros, como modelos, debemos ser creativos y divergentes, para que nuestros hijos observen diferentes formas de actuaciones y resoluciones de conflictos.

Es importante que cuando los niños generen alternativas, les dejemos contemplar alguna negativa e incluso les animemos a que la incluya, ya que sólo así pueden darse cuenta de las consecuencias que tendrá su ejecución.

También debemos dar opciones al niño para que tome decisiones a través de preguntas, tal y como ya se ha indicado. Para ello:

1. En lugar de decir al niño *«esto lo debes hacer así porque es la mejor forma»*, se le debe preguntar: *«¿cómo crees que lo puedes hacer?* o *¿cómo te gustaría hacerlo?»*.
2. Generar en el niño la necesidad de buscar alternativas a los problemas y resolución de los mismos: «Ante este problema, ¿qué podríamos hacer?

3. Responder al niño con preguntas:

— *Mamá me ha dicho que no me dejan jugar, ¿qué tengo que hacer?*

— *¿Qué crees tú que tienes que hacer?*

Juegos y actividades
Juegos de creatividad
Dad un estímulo, por ejemplo una caja, y decid qué cosas se pueden hacer con ella: un sombrero, meterse dentro, guardar cosas, esconder algo, recortarla y hacer un marco de fotos, etc.
Coged objetos y transformadlos en algo diferente: un vaso se puede pintar y utilizar de portalápices, de florero, etc.
Dibujad rayas sin significado y que los niños digan qué puede ser:  Una pulsera, un puente, etc.
Que a partir de un estímulo dibujen cosas diferentes. 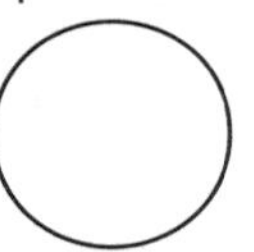 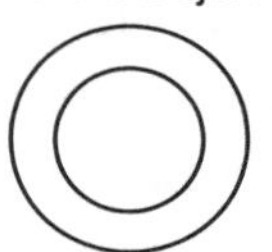  
Busca la solución
Qué podemos hacer si: 1. Se nos estropea el coche en un atasco. 2. Si no hay pan en la panadería. 3. Si llegamos tarde al médico, etc.
El taller de los sueños
Pedid al niño que se imagine que tiene un taller en el que tiene de todo. Luego solicitadle que imagine por ejemplo cómo sería el colegio de sus sueños, o el coche mágico.
Creamos animales fantásticos
Jugad con los niños a crear animales únicos a partir de otros, y definid sus características. Luego pueden dibujarlo y atribuirle poderes.
Cuentos
Pies para la princesa. Ivar Da Coll. Anaya Infantil y Juvenil. 2002. Plantea cómo la creatividad es a veces una gran aliada en la resolución de problemas.

3. Previsión de consecuencias

Después de ser creativo y divergente hay que bajar a la realidad, y pensar en las consecuencias que tendría la ejecución de la conducta, ya que, por muchas alternativas que busquemos, si no prevemos lo que puede ocurrir es muy probable que elijamos mal, y que sin lugar a dudas nos equivoquemos. De este modo, si pienso que el profesor me suspende injustamente, la rabia me puede indicar que la solución podría ser pegarle o insultarle, pero sin duda al prever las consecuencias de la conducta nos daríamos cuenta de que no es la mejor alternativa por las consecuencias negativas que va a tener. Si le falto al respeto me puede expulsar, se enfadará, mis padres me castigarán, etc.

Es innegable el peso que tienen las consecuencias de las conductas en el aprendizaje. Como ya hemos visto, tendemos a repetir aquellos comportamientos que han sido reforzados, mientras que evitamos realizar aquellos que han tenido consecuencias negativas. No obstante, como ya se ha indicado, no debemos nunca olvidar que, además de por la experiencia, también se aprende por observación al contemplar modelos; así, si observamos que un niño es regañado por el adulto por romper un juguete de otro niño que no se lo ha querido dejar, el niño aprende que si pega es muy probable que sea reprendido, por lo que aunque lo contemple como posible solución, quizá no la elija al prever la consecuencia negativa observada. Es decir, las consecuencias de las conductas permiten al niño establecer relaciones causa-efecto, y por supuesto aprender.

Sólo a través de una correcta previsión de consecuencias los niños aprenden a tomar decisiones adecuadas y comienzan a solucionar los problemas con éxito. La capacidad para determinar las diferentes consecuencias que puede tener cada alternativa es crucial para desarrollar una adecuada autonomía y autorregulación personal. Prever consecuencias es ni más ni menos que anticipar lo que va a ocurrir.

Cuando nuestro hijo prevé las consecuencias de su comportamiento, ello significa que se está parando a pensar, y eso le va a permitir reflexionar sobre su sistema de respuesta, para tomar decisiones de una forma adecuada. Este aspecto es fundamental en la resolución de problemas, e implica el autocontrol personal y emocional. De hecho, en este aspecto tan importante me dio una gran lección mi hijo de doce años, cuando un día tras la vuelta de vacaciones comprobó que su padre le había tirado su taza favorita desde que tenía 5 años. En ese momento en el que le vi llorar desconsoladamente me enfadé con mi marido interiormente, ya que le había dicho que tenía que consultarlo con el niño antes de tirarla, aunque estuviera rota. Debido a la ira que yo sentía en ese momento me acerqué a mi hijo y le dije: *«Ahora coge tú algún objeto favorito de papá, que para ti no tenga utilidad, y tiráselo para que sepa cómo te sientes»*. En ese momento, y entre sollozos, me dijo: *«Creo que hacer eso no me va devolver mi taza y que voy a empeorar las cosas, porque entonces yo estaré triste y papá se enfadará. No me parece la mejor solución»*. Entonces se fue a su padre y le dijo: *«La próxima vez que pienses que tienes que tirar algo que es mío, creo que debes consultarme, porque lo que has hecho me ha dolido mucho y no es justo»*. Con las mismas se dio media vuelta y se fue a su habitación. Con este ejemplo creo que no es necesario explicaros cómo nos sentimos mi marido y yo. Él, mal por lo que había hecho, aunque convencido de que era lo que tenía que hacer, y yo confundida porque le había pedido a mi hijo, desde mi propia ira, que hiciera algo que efectivamente no iba a solucionar su problema y era contrario a lo que venimos reforzando en nuestros hijos.

Para que el niño vaya aumentando su capacidad de prever consecuencias de los comportamientos, es importante que aprovechemos todas las actividades cotidianas para conseguir desarrollar esta capacidad. Si por ejemplo se cae un vaso y se rompe y al recogerlo nos cortamos, le haremos ver al niño que el cristal roto corta, pero podemos ayudarle a extrapolar esta consecuencia a otros comportamientos. Por ejemplo, si rompemos el cristal de la ventana con la pelota, ¿qué puede pasar? Si jugamos a la pelota en casa, ¿qué puede pasar?, etc.

Es muy importante que no dejemos pasar la riqueza que tiene la experiencia cotidiana en el aprendizaje de nuestros hijos y que reconstruyamos las situaciones en las que no resuelven bien los problemas.

Juegos y actividades
Experimentación
Se trata de jugar con los niños experimentando con materiales diversos para que establezcan la relación causa-efecto. Antes podemos preguntarles qué piensan que puede ocurrir si: 1. Mojamos el papel. 2. Echamos una cáscara de nuez al agua, una piedra, etc. 3. Si hacemos un agujero en un vaso y echamos agua. Luego comprobad con el niño si ha acertado en su deducción.
Que pasaría si...
Decid que pasaría si: 1. Nos tiráramos un bote de pintura por encima: — Nos mancharíamos la ropa y habría que lavarla o tirarla si no sale la pintura. — Nos ensuciaríamos todo, y si no sale la pintura del pelo lo llevaríamos blanco y nos lo tendríamos que cortar. — Tendríamos que comprar otro bote de pintura para pintar la ventana. — Nos divertiríamos viéndonos de otro color. 2. Nos comemos 15 hamburguesas seguidas y 10 coca-colas.
La moviola
Se trata de analizar las situaciones que han salido mal, determinar por qué, y generar nuevas estrategias cuando volvamos a estar en la misma situación. Para ello pedimos a los niños que rebobinen como las películas y las vuelvan a pasar a cámara lenta para analizar los detalles.

Cuentos
Negros y blancos. David Mckee. Anaya Infantil y Juvenil. 2008. Este libro explica lo que ocurre cuando se utiliza la agresividad cuando se buscan alternativas pacíficas.

4. Toma de decisiones: selección y elaboración de la mejor alternativa

Después de generar las alternativas y prever sus consecuencias, el niño debe reflexionar sobre cuál de todas ellas es la mejor o más viable para resolver el problema y darle solución. Un objetivo de la toma de decisiones es que ésta se haga de forma libre; por ese motivo es importante insistir a los niños en que cuando seleccionen la mejor alternativa lo hagan pensando en ellos, haciendo hincapié en que todos somos diferentes, al igual que lo son nuestras experiencias, vivencias, gustos, etc.

El que los niños aprendan a tomar decisiones de forma libre implica a su vez que el educador debe dejarle hacerlo, ya que en muchas ocasiones, por miedo a que los niños fracasen o se equivoquen, antes de elegir mal les indicamos qué deben hacer. Esto limita en gran medida la autonomía y genera una gran dependencia del adulto. No obstante, esto no quiere decir que si vemos que nuestro hijo toma una decisión peligrosa para él mismo o los otros no le dejemos ejecutarla y analicemos con él las consecuencias.

Otro aspecto crucial es que los padres pensemos que nuestra forma de pensar y nuestros criterios no son los únicos y verdaderos, porque esta creencia nos lleva a guiar e insistir a nuestros hijos en que hagan las cosas como nosotros pensamos. Mis dos hijos me han enseñando que no hay una única forma de actuar, sino muchas diferentes que, aunque no den el mismo resultado, no tienen por qué ser peores. A veces me han demostrado que podemos llegar al mismo sitio con diferentes estrategias, o que aunque el resultado no es el que yo crea que debe ser, no por ser diferente es peor.

Cuento
Draconilo. Begoña Ibarrola. Cuentos para sentir. SM. Este cuento ayuda a los niños a no avergonzarse de sus diferencias y a tomar decisiones aunque no sean las habituales. También trabaja la empatía.

Pero, ¿cómo enseñamos a los niños a elegir la mejor alternativa? Como ya he indicado, es importante tener presente que la decisión es individual, y que por tanto el análisis y la elección hasta que el niño aprenda la debe realizar con la ayuda del adulto. Para ello, y dependiendo de la edad del niño, podemos utilizar las siguientes estrategias:

1. Poner una pegatina con cara alegre o triste o los signos + o –, si las consecuencias son positivas o negativas.
2. Dibujar monedas según el costo que nos suponga, o bien escribir la cantidad con un número.
3. Tacharla si no la podemos hacer.

Por ejemplo, si a nuestro hijo se le ha roto el estuche podemos realizar el siguiente proceso:

Alternativa	Consecuencia	Valoración
Tirar el estuche y comprar otro.	Tendré uno nuevo. Mi madre se gastará dinero.	+ + + 18 euros
Arreglar la goma que se ha roto.	Tendré un estuche viejo. Mi madre no gastará dinero. Estoy acostumbrado a él.	+ +
Llevar el estuche roto.	Se me seguirá cayendo el borrador. No gastaré dinero.	– – – –
Llorar y gritar para que me compren otro.	Enfado a mis padres. Me siento mal. No me comprarán el estuche.	– – – –
Sacar el dinero de mi hucha para comprarme otro.	Tendré un estuche nuevo. Me gastaré el dinero ahorrado.	+ + + 18 euros

5. Puesta en práctica

Después de decidir cuál es la mejor alternativa, es importante tener en cuenta que también debemos ayudar a los niños a trazarse un plan de acción; es decir, ¿cómo lo voy a hacer? En el ejemplo anterior, si elijo la segunda alternativa deberé disponer de goma, pegamento o hilo y aguja. Por eso es fundamental que esto se tenga en cuenta a la hora de decidir cuál es la mejor opción, ya que si elijo ésta y no dispongo de goma difícilmente podré ejecutarla, por lo que tendré que realizar una generación de alternativas paralelas para ser autónomo a la hora de conseguir la goma. Es decir, puedo comprarla, pedírsela a mama, cortar la del vestido, etc. Por eso debemos tener siempre presente que en la resolución de problemas se realizan, paralelamente y de manera simultánea, procesos conductuales y cognitivos que se van solapando y ejecutando, realizándolos de forma continua.

A la hora de poner en práctica la actuación elegida tendremos que tener en cuenta todo lo que ya hemos aprendido: si al niño le faltan habilidades se las enseñaremos, si es que no se atreve le ayudaremos y reforzaremos su actuación, si lo hace mal le enseñaremos la forma adecuada de hacerlo, etc.

Ya sabemos que hay veces que los niños tienen claro lo que tienen que hacer, pero fallan en la puesta en práctica porque su impulsividad les lleva a actuar deprisa, su timidez les impide ejecutar la tarea, su falta de confianza y miedo al fracaso hace que eviten realizarla, etc. De ahí la importancia de valorar por qué el niño no actúa bien, y seguir los pasos que ya hemos reflejado en el apartado de práctica en el refuerzo de comportamientos adecuados, que ayuda al niño a dirigir su acción y detectar qué ha hecho mal para poder rectificar sus acciones. Por eso voy a detenerme un poco más en la autoobservación y la autoevaluación como bases para detectar los errores que se cometen y poder así cambiarlos.

Sin lugar a dudas, uno de los factores menos trabajado en los niños y por los adultos es la auto-observación, quizá porque al observarnos descubrimos nuestros errores y carencias y por ello los evitamos. No obstante la autoobservación es la base del aprendizaje, del perfeccionamiento y la corrección, y sin ella es muy difícil avanzar.

Para realizar una adecuada autoobservación debemos tener claros qué criterios vamos a utilizar para saber si estamos haciendo algo bien o mal. Para ello utilizamos diferentes parámetros como son la calidad del resultado, la frecuencia o la intensidad. De esta manera, si queremos que nuestro hijo autoobserve cómo tiene su habitación, por un lado le pediremos que observe la frecuencia con la que se pone a recoger: todos los días, una vez a la semana, etc. También nos interesa saber la intensidad de la conducta, si lo hace con ganas, atención... Por último, es fundamental saber la calidad de la ejecución, es decir, si ha dejado cada juguete en su sitio, si ha recogido su ropa o si está la cama hecha. Este aspecto nos interesa sobre todo para modificar la ejecución si la calidad de la actuación no es adecuada, ya que si el niño toma conciencia de sus errores, porque ha observado una y otra vez que no se acuerda de poner la cartera en su sitio, es más probable que preste más atención y la coloque en su sitio. En cuanto al nivel cuantitativo, nos interesa que el niño se dé cuenta de si tarda mucho en hacer las cosas, o si por hacerlas muy rápido las hace mal.

Sin autoobservación **no**:

- — Percibimos los errores que cometemos.
- — Tenemos información objetiva de nuestras conductas.
- — Nos movemos hacia el cambio.
- — Somos capaces de modificar el curso de la acción.
- — Conseguimos un adecuado rendimiento y perfección en la tarea.

Es importante que el niño tenga una visión objetiva de su conducta. Para ello es importante que identifique bien el comportamiento que debe evaluar y ayudarle a buscar un método de registro que le dé una cuantificación o cualificación de su comportamiento. En el apartado de límites se ha mostrado uno, pero a continuación os propongo alguno más para que se favorezca la autoevaluación en el niño.

Antes de utilizar las técnicas de autoobservación, tenéis que tener en cuenta que su objetivo es que el niño tome conciencia de su conducta. En ningún caso debe tomarse como una forma de controlar aún más al niño y cuantificar sus errores o fallos, sino como una forma de ayudarle a mejorar, reforzando siempre los avances hacia el objetivo final y la corrección de la tarea, y nunca como excusa para indicarle lo negativo o castigarle por ello.

Técnicas a utilizar para registrar objetivamente la conducta

1. *Técnicas de lápiz y papel.*

Consiste en que el niño dibuje o escriba la conducta objetivo y que la registre. Si pretendemos por ejemplo que él observe si deja recogido su cuarto todas las noches, si ha comido todo, ha dormido solo, etc., puede poner una cruz en la casilla correspondiente al día en que lo ha hecho. Si queremos por ejemplo cualificar cómo ha sido de limpio en la comida, podemos poner regular, bien y muy bien, utilizar diferentes fotos en las que aparezcan niños con diferente intensidad de manchas o distintas expresiones.

Ejemplo:

CONDUCTA	L	M	X	J	V	S	D
Comer solo	+			+	+		
Recoger el cuarto	+	+	+	+	+		
Irse solo a dormir		+	+		+		

Es muy importante que su uso no interfiera en la tarea del niño. Hay que buscar un formato resistente, que no se estropee, que se pueda guardar cómodamente, etc.

2. *Técnicas mecánicas.*

Suelen gustar mucho a los niños. Se puede utilizar por ejemplo un tubo transparente en vertical y utilizar bolas para indicar las veces que realiza el comportamiento. También podemos utilizar pegatinas para señalar si el niño ha realizado la conducta, o poner una graduación con 1, 2 o 3 estrellitas para que él valore su propia ejecución, tal y como hemos comentado en el tipo anterior.

3. *Técnicas cronométricas.*

Se utilizan fundamentalmente cuando lo que queremos medir es el tiempo que emplea el niño en la realización del comportamiento. Si queremos ver por ejemplo cuánto tarda en comer el niño, en hacer un ejercicio de matemáticas, en recoger su cuarto, etc., se puede hacer una gráfica para ver la evolución del niño.

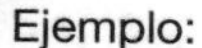
Ejemplo:

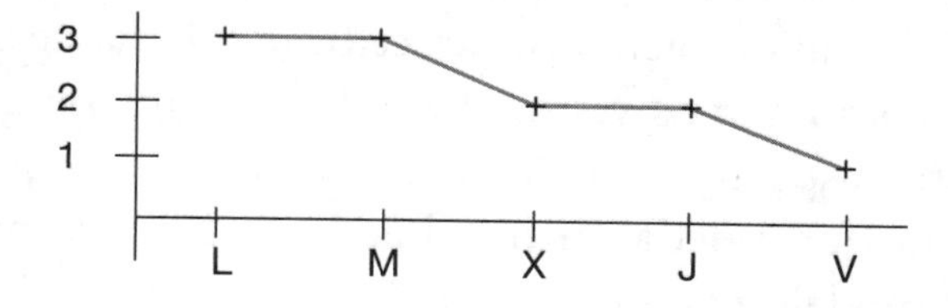

4.- *Técnicas electrónicas.*

Estas técnicas se utilizan sobre todo para ver la calidad de la conducta, y entre ellas se encuentran el cassette y el vídeo. Estas técnicas son muy positivas y útiles porque son altamente objetivas. Cuanto mayor es el niño son más efectivas, porque son más conscientes de su comportamiento y se ve de una manera más real. En ningún caso se deben utilizar estas técnicas para ridiculizar al niño, sino como punto de partida para mejorar su conducta. Son útiles para ver los avances en la lectura (cassette), la forma de comer, de jugar con otros niños, etc.

Pero está claro que la autoobservación no nos sirve de nada si no la utilizamos para realizar una adecuada evaluación, que es un proceso simultáneo a la autoobservación que nos permite rectificar nuestra actuación cuando no lo estamos haciendo bien, cuando comparamos los criterios que nos hemos fijado a la hora de actuar y los resultados que estamos teniendo.

En el caso de los niños es muy difícil que se active la autoevaluación, ya que solemos ser los adultos los que constantemente les indicamos si lo están haciendo bien o mal.

Por eso el niño suele depender de la evaluación del adulto, esperando la misma para saber si debe rectificar o no. Este aspecto dificulta la autonomía personal a la hora de resolver problemas y de actuar adecuadamente; también hace que el niño sea altamente dependiente del adulto, y en muchos casos genera inseguridad porque el niño no sabe establecer si está siendo correcta su ejecución o no.

Debido a estos factores es importante que ayudemos a los niños a autoevaluarse mientras están realizando la conducta, para detectar errores y modificarlos si es preciso para ser eficaz, y también cuando ha terminado de hacer la tarea para reforzarse si le ha salido bien o para rectificar si lo ha hecho mal.

Tal y como hemos visto, la edad tiene mucho que ver en todos estos aspectos, por lo que cuanto más pequeño es el niño, para que pueda autoevaluarse es importante o bien darle un modelo con el que pueda comparar su ejecución, o ir recordándole poco a poco cuáles eran los criterios para la buena ejecución. Por ejemplo, si en los límites hemos puesto que deje colocado su cuarto, podemos hacer una foto del cuarto colocado para que la compare cuando haya ordenado el mismo. Si deseamos que nuestro hijo consiga comer en menos de 60 minutos, pondremos un reloj grande en la cocina y comenzaremos señalando en el minutero la hora a la que debe terminar.

La autoevaluación es una de las capacidades más difíciles de trabajar, porque muchas veces ni siquiera los adultos sabemos hacerlo bien. Por eso los papás deben inicialmente ir señalando con cariño, paciencia y sin criticar los errores si el niño no es consciente de ellos, para que rectifique su actuación y la modifique. A medida que crezca el niño, o que la actividad sea más familiar para él, se le irá pidiendo que evalúe su actuación y la corrija si es necesario.

En este punto es necesario tener en cuenta que no hay que ser excesivamente rígidos con la autoevaluación y los criterios de la misma, y recordar lo que ya sabemos. Si insistimos en que los criterios sean los nuestros, estaremos anulando en cierta medida la libertad en las decisiones, además de un importante factor en el desarrollo infantil: el pensamiento divergente, la creatividad, la imaginación, etc. Por eso es importante que el niño también tenga su espacio para la creación autónoma, no sujeta a juicios de adulto, y poder pintar un perro azul, construir un coche con tres ruedas o dibujar un hombre con un solo ojo, sin tener por ello que borrar el dibujo porque no se ajusta a lo que nosotros deseamos que haga.

El segundo tipo de autoevaluación, al que he hecho referencia anteriormente, es el que realiza el niño al finalizar la actividad, y que implica el valorar si ha conseguido o no los objetivos. Si la evaluación es negativa, el niño debe revisar el proceso para determinar dónde ha cometido el error, si es que ha gritado cuando le pedía al niño la pala, si es que se ha dejado el abrigo tirado en el salón, si es que no ha escuchado las normas del juego, etc. Si por el contrario la evaluación es positiva, el niño debe ser reforzado y autorreforzarse personalmente.

Ya hemos visto que tendemos a repetir aquellas conductas por las que hemos obtenido algo positivo. Por eso, cuando nuestro hijo está aprendiendo a vestirse y le damos atención, le aplaudimos, le damos un premio, etc., éste tenderá a repetir el vestirse solo. Pero como ya os he indicado, si acostumbramos a los niños a esto no les facilitamos la autoevaluación de su conducta y les hacemos dependientes de los demás y del entorno para fijar su ejecución y por tanto su autoestima. Por eso debemos ayudar al niño haciendo que aprenda a decirse *«¡qué bueno soy!»*, *«¡qué bien lo he hecho!»*, *«¡esto está guay!»*, *«¡fenómeno!»*. También podemos enseñarle a reforzarse haciendo una actividad que le guste.

Yo les enseño a hacerlo delante del espejo; también les digo que se besen, juntando todos los dedos, poniéndoselos en los labios y luego pasándoselos por la cara. También podéis hacer caritas y que el niño rellene los pensamientos y verbalizaciones que debe tener.

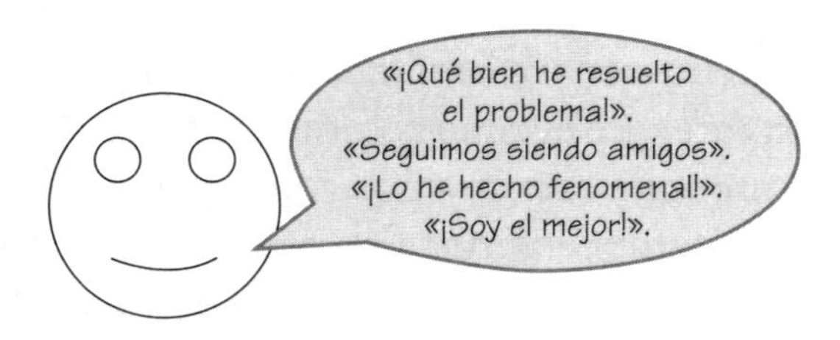

Es importante que el niño aprenda a reforzarse, ya que aprenderá mucho más rápido que el reforzador es el resultado de su comportamiento y que, por tanto, depende de él y de su ejecución el poder recibirlo, fomentando la atribución positiva interna y reconociendo sus éxitos como parte de su trabajo y esfuerzo, por lo que aumentará su autoestima y la motivación hacia el cambio para conseguir hacer las cosas bien.

A modo de conclusión, cabe indicar que es muy importante que las habilidades de resolución de problemas se trabajen cuanto antes, para que los niños perciban adecuadamente las relaciones sociales y sepan resolver los conflictos que sin duda en ocasiones condicionan en gran medida su desarrollo emocional.

Ejemplo práctico.

Identificación del problema: Luis está jugando con los coches y yo quiero jugar también con ellos.

Generación de alternativas y valoración de consecuencias:

1. Le puedo quitar los coches. Pero puede que se enfade y me pegue, y se inicie una discusión, por lo que mamá vendrá, se enfadará y nos regañará.
2. Puedo decirle a mamá que quiero jugar con los coches y que él no me los va a dejar; ella me ayudará y no se enfadará porque no hemos regañado.

3. Puedo decirle a Luis que le llama mamá, y mientras se va me pongo a jugar con los coches, pero seguro que cuando venga me pega porque se los he quitado y mamá se enfadará.
4. Puedo negociar con Luis y decirle que podemos jugar los dos con los coches, que podemos hacer una gasolinera, y yo ser el que sirve la gasolina y él el que trae el coche. Podemos jugar los dos y no necesito a nadie para que resuelva el problema.

Toma de decisiones:

Elijo la decisión número 4.

Puesta en práctica.

— ¿Luis podría jugar contigo a los coches? He pensado que podríamos jugar a las gasolineras, y uno de los dos ser el que sirve y el otro el que trae el coche. Pero también podemos jugar a otra cosa. ¿Qué te parece?
— Bien, pero yo seré el que sirve la gasolina.
— De acuerdo. ¡Vamos a jugar!

Verificación del problema.

Esto es estupendo, he solucionado yo solo el problema y estamos jugando los dos.

El ejemplo que he reflejado es sin lugar a dudas muy difícil de conseguir la primera vez, pero a través de mi experiencia he comprobado que, si se trabaja, los niños llegan a saber solucionar sus problemas de manera autónoma y de una forma adaptativa, después de haber repetido este ejercicio varias veces.

Con los niños se puede hacer de manera oral, o escribiéndolo. Al principio es mejor escribirlo para que tengamos reflejados los avances del niño.

Es importante que al niño le digamos que cuando tome su decisión («qué voy a hacer»), piense en lo que realmente quiere hacer sin determinantes externos, como lo que pueda pensar mi amigo, el miedo a fracasar, el miedo a hacer el ridículo, etc. La toma de decisiones debe ser libre e individual.

Resolución de problemas	
¿Cuál es el problema?	
¿Quién tiene el problema?	
Posibles soluciones	Consecuencias
Solución elegida:	
Cómo lo voy a hacer:	
Resultado:	

9. Desarrollar estrategias de autocontrol

En el caso de los niños que presentan un patrón de respuesta agresiva, ya hemos visto que a veces suelen presentar dificultades para la inhibición comportamental que subyace a su emoción.

Para trabajar el autocontrol es fundamental explicar primero al niño en qué consiste, y ponerle ejemplos de su vida cotidiana en los que debe controlar su comportamiento. Nos podemos centrar fundamentalmente en las siguientes situaciones:

1. Cuando deben evitar ejecutar algo que no pueden hacer (**inhibición**), y que implica demorar el refuerzo y controlar la ira. Por ejemplo, comernos el caramelo después de cenar, jugar después de hacer los deberes, etc.
2. Cuando hay que decidir qué hacer ante determinadas situaciones de conflicto y debemos secuenciar las mismas en pasos (**resolución de problemas**). Por ejemplo, pedir permiso antes de coger el juguete.

Hay varias técnicas que favorecen el autocontrol. Aunque el procedimiento es siempre el mismo, deberéis adaptarlo a la edad del niño.

Dentro de los procedimientos de autocontrol, nuestro primer objetivo es que los niños tomen conciencia de su comportamiento y sientan la necesidad de cambiarlo. Se trata por tanto de desarrollar en el niño mecanismos que le ayuden a controlar sus propios comportamientos, en lugar de que sean los adultos los que externamente le dirijan.

Antes de trabajar el autocontrol es importante ayudar al niño a medir la intensidad de su ira, para enseñarle a valorar si es capaz de disminuirla a través de las técnicas que le enseñaremos.

Para ello pediremos al niño, por ejemplo, que coloree hasta qué punto se enfada cuando su hermano le quita la consola. Este termómetro nos permite ir observando si la ira va disminuyendo a medida que ponemos en marcha las técnicas que estamos utilizando.

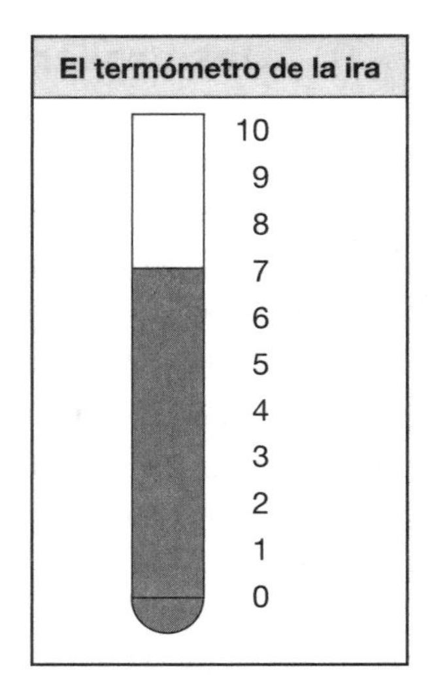

Principales técnicas de autocontrol
• Modificación de los pensamientos inadecuados. • Entrenamiento en relajación. • Autocontrol corporal. • Autocontrol emocional: — La técnica de la tortuga. — Tomás y el Cuervo Negro.

1. Modificación del pensamiento

Analizaremos con el niño qué pensamientos son los que suscitan en él la ira y cómo la expresa. Desde este punto de partida vamos a ayudarle a modificar los pensamientos y su sentimiento, y por tanto su actuación.

Los pensamientos y las creencias de los niños son muchas veces transmitidos por los adultos de referencia, y son los que suscitan las emociones y guían la conducta del niño. Por eso es de crucial importancia que aprendamos a detectar sus creencias y pensamientos erróneos, para que a través de su modificación los niños puedan autocontrolarse y variar su actuación.

Modificación de pensamiento	
Pensamiento	**Modificación**
• Tengo que ganar.	• Tengo que pasármelo bien e intentar ganar, pero si no lo consigo pensaré como actuar.
• Siempre me hacen trampas y por eso pierdo.	• Si pierdo no es porque me hagan trampas, es que no me han salido los dados, no he corrido lo suficiente…
• Me tienen que comprar el juguete porque lo quiero.	• No siempre conseguimos lo que queremos, y además no lo necesito.
• Me ha insultado y no lo tolero.	• Realmente llevo gafas. • Yo no soy idiota. • Quiere que le pegue para que me castigue la «profe».

Es fundamental ayudar al niño a identificar qué pensamientos son los que están generando en él la manifestación inadecuada de la ira, para poder posteriormente modificarlos, ya que sólo cambiando el origen de la conducta ésta podrá sufrir un cambio. Yo suelo jugar con los niños realizando monigotes que les ayudan a ver de manera práctica cuál es el proceso **pensamiento-emocion-actuación.** A continuación os pongo un ejemplo, y os animo a que lo hagáis en casa con ellos para que aprendan cómo se genera su comportamiento y cómo pueden modificarlo a través del cambio del pensamiento.

Cuando trabajéis con el niño, la carita no debe tener expresión para que aprenda a ponerla él. Los bocadillos los debéis rellenar con él.

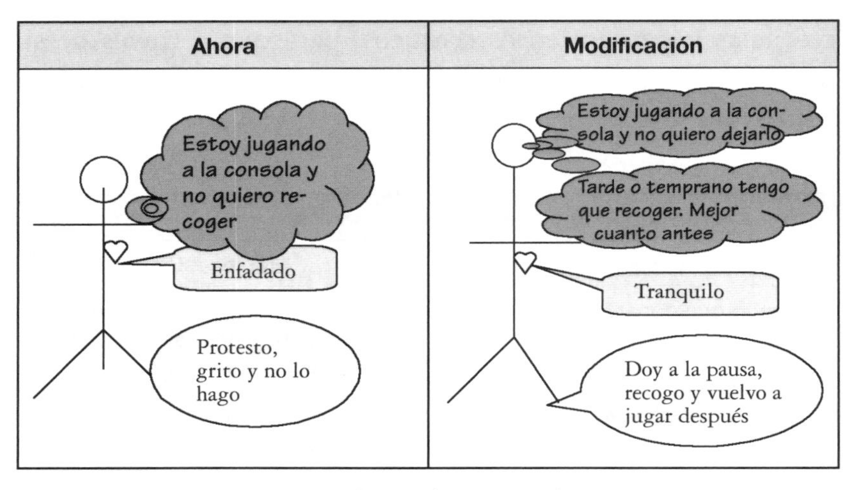

Las caritas que yo suelo utilizar son las siguientes:

Cuento
¡Ay, no! Rotrant Susanne Bermer, Anaya Infantil y Juvenil. 2008. Muestra la importancia de tener un pensamiento positivo como alternativa a los pensamientos negativos para conseguir ser feliz.

2. Entrenamiento en relajación

Cuando un niño tiene ira, la activación fisiológica que produce esta emoción suele traducirse en tensión muscular, por lo que los niños sienten cómo su cuerpo se contrae. Por eso, a través de la relajación le ayudaremos a tomar conciencia de la tensión muscular que tiene cuando está enfadado, cuando la compara con el estado de relajación en el que los músculos están en reposo, para que le sirva de punto de partida para la modificación del estado de tensión. La relajación consiste en la distensión voluntaria del tono muscular, acompañada de una sensación de reposo.

El entrenamiento en relajación es fundamental en los niños que tienen explosiones de ira, ya que les ayuda a tomar conciencia de las diferentes partes corporales que componen su cuerpo, así como de su grado de tono muscular en las mismas cuando están enfadados. Esto además les posibilita el diferenciar el tono de sus músculos cuando están relajados.

En estos niños es fundamental trabajar los siguientes tipos de relajación:

1. **Automática:** que se produce de una manera natural después de realizar un ejercicio físico. Por ejemplo, después de una gran carrera, al quedarnos en reposo todo nuestro cuerpo recupera progresivamente su estado de relajación y tranquilidad.
2. **Consciente:** se realiza cuando el niño busca la distensión voluntaria del tono corporal. Este tipo de relajación es el más apropiado para los niños que manifiestan la ira de manera expansiva, para que la utilicen en situaciones de conflicto.
3. **Segmentaria**: la utilizamos si el objetivo es la disminución del tono de las diferentes partes del cuerpo. Es importante comenzar por ella para que, como hemos indicado, el niño aprenda a relajar cada una de las partes de su cuerpo y tomar conciencia de las mismas, para poder posteriormente controlarlas y relajarlas de una manera voluntaria.
4. **Global:** que pretende la relajación de todo el cuerpo a la vez.

Dos son los métodos de relajación más utilizados a la hora de enseñar a los niños a relajarse: el de Jacobson y el de Schultz. En el primero se pretende la realización de una relajación voluntaria mediante la contracción y posterior distensión de diferentes grupos musculares. En el segundo se busca la relajación a través del uso de imágenes mentales que nos ayuden a la distensión del tono corporal.

En el caso de los niños expansivos o reactivos, es conveniente iniciarles en el uso de la relajación de Jacobson, ya que nos permite que tomen conciencia del tono corporal en cada uno de sus grupos musculares, como punto de partida para evaluar y modificar el mismo cuando están enfadados. La relajación progresiva consiste en aprender a tensar y luego relajar secuencialmente varios grupos de músculos, mientras que, al mismo tiempo, se dirige la atención cuidadosa y rigurosamente a las sensaciones asociadas con los estados de tensión y relajación. La preferencia por este método se debe a que, además de enseñar al niño cómo relajarse, también le estimularemos a aprender a reconocer y discriminar la tensión que le surge cuando se enfada.

La relajación en imaginación, que implica la elicitación del bienestar a través de imágenes, es muy complicada en los niños, sobre todo en los pequeños, pues es difícil que se imaginen situaciones placenteras, o hacer que las piensen a través de la indicación del adulto. Por otro lado, el nivel de atención y concentración que implica es a veces incompatible no sólo con la edad sino con el nivel de actividad de los niños. Por eso, cuando tienen un alto nivel de actividad empezaremos utilizando la relajación automática, pidiéndoles que se muevan y luego se paren para notar la relajación. Posteriormente pasaremos a la relajación segmentaria basándonos en la tensión-distensión, que progresivamente llevaremos a la globalidad, para pasar por último a la relajación en imaginación cuando hayamos dado los pasos anteriores.

Al igual que se aprende cualquier otro tipo de habilidad como nadar, montar en bicicleta, etc., enseñar al niño a relajarse implica que éste debe practicarlo en la misma medida que lo haría con el resto de habilidades.

Existe un tipo de relajación muy lúdica e ilustrativa basada en las técnicas de Jacobson, que es la **relajación en imaginación de Koeppen**. En esta relajación se le van explicando a los niños los músculos que deben contraer, pero elicitando una imagen que tiene que ver con la parte del cuerpo. No obstante, yo, con mis hijos y con los niños que acuden a consulta, y partiendo de las propuestas de Koeppen, he creado una historia que ayuda al niño a tener un hilo conductor y le facilita tanto a él como al adulto el seguir unas pautas. Antes de empezar la relajación se le pide al niño que se tumbe y cierre los ojos, imaginando y haciendo lo que el adulto le pide.

Historia:

Un día Luis (utilizar el nombre del niño) se levantó muy contento de la cama porque era el día en el que él y su padre irían por primera vez al zoo. Rápidamente se dirigió a la cocina para ver si su padre ya se había levantado. Allí se encontraba él, sonriendo y con las naranjas en la mano, dispuesto a preparar el zumo. En ese momento su padre le pasó media naranja y le pidió que la apretara fuertemente para ver cuánto zumo era capaz de exprimir. Ahora Luis tiene la naranja en su mano derecha y la aprieta muy fuerte para ver cuánto zumo sale. ¡Ya está!, ha salido todo. Ahora coge la otra media naranja y la aprieta también fuerte, fuerte, fuerte y la suelta. Luego tiene que exprimir la otra naranja y hace lo mismo. Aprieta fuerte, fuerte, fuerte con la mano derecha, y cuando está todo la suelta. Y cuando acaba lo hace con la izquierda, fuerte, fuerte, fuerte y lo suelta. (Este ejercicio sirve para la relajación de manos y antebrazos.)

Tras la preparación del zumo, Luis y su padre desayunaron, pero Luis todavía se sentía algo adormecido, por lo que decidió desperezarse estirando los brazos hacia delante; juntó sus manos y las subió por encima de su cabeza hasta que no pudo más. Entonces notó un tirón en los brazos y vio la tensión de los mismos y en los hombros. Mientras contaba hasta tres: 1, 2 y 3, pensaba en lo duros que tenía los brazos y los hombros; por eso lentamente los bajó y volvió a ponerlos a los lados de su cuerpo. Pero se dio cuenta que todavía necesitaba hacerlo una vez más, por lo que volvió a subir y contar hasta tres: 1,2 y 3, para bajarlos después. (Este ejercicio sirve para la relajación de brazos y hombros.)

Entonces Luis se fue a su habitación a vestirse, y estaba tan nervioso que se quedó quieto un momento y respiró profundamente tomando el aire por la nariz, lo llevó al estómago y después lo expulsó muy despacio por la boca. Notó que esto estaba muy bien y lo repitió: inspiró, retuvo el aire unos instantes y espiró.

Después de vestirse estaba listo para ir con su padre al zoo. Cuando llegaron a la puerta hacía mucho calor, pero había nubes que anunciaban lluvia. Lo primero que vieron es a una gran tortuga lenta y tranquila que tomaba el sol al lado de una charca. Vamos a imaginarnos que tú eres la tortuga y estás tranquilamente tomando el sol, cuando de repente un oso que está cerca de ti se acerca para oler qué es. Entonces la tortuga no duda un instante en meterse en su caparazón; para ello debes juntar y subir los hombros metiendo tu cabeza en medio como si fueras la tortuga, ya que ves cómo asoma el hocico del oso por el agujero. Pasados tres segundos: 1, 2 y 3, el oso se va despacio y la tortuga vuelve a sacar la cabeza. Entonces se nota relajada y tranquila y vuelve a asomarse para tomar el sol. Luego aparece un pelícano muy curioso y acerca su pico para ver qué es eso que sale de la roca. Entonces vuelves a juntar los hombros y los subes metiendo tu cabeza entre ellos; vuelves a sentir la tensión en los hombros y el cuello, pero si sacas la cabeza el pelícano te la picará. Por eso cuentas despacio de nuevo: 1, 2 y 3, y te relajas cuando el pájaro se va. (Ejercicios para hombros y cuello).

Entonces vuelves a respirar profundamente dos veces, como hemos hecho antes.

Realmente Luis está extrañado con ese animal tan curioso que puede protegerse de todo tipo de animales con su caparazón, y piensa en lo «guay» que podría ser tener uno él mismo.

Entonces su papá le indica que deben seguir avanzando y viendo animales, cuando de pronto ve un quiosco de chucherías y le pide a su padre que le compre un chicle grande para hacer un gran globo y explotarlo. Cuando Luis se mete el chicle en la boca, se da cuenta de lo duro que está, por lo que tiene que apretar muy fuerte. Mastica el chicle con todos los dientes y muelas para que se ablande y poder hacer un gran globo. Ya está lo suficientemente blando, pero cuando va a hacer el globo se le cae. Entonces deja la mandíbula abierta y relajada, porque debe prepararse para meterse otro gran chicle. (Ejercicio para trabajar la mandíbula.)

Ya está, ya lo tienes en la boca y lo puedes masticar muy fuerte, venga sigue, que se oiga bien cómo masticas. Ahora puedes hacer el globo, relajando la mandíbula, aspirando aire por la nariz, bajándolo al estómago y sacándolo luego muy despacio por la boca para hacer un gran globo. El globo es tan grande que le pides a tu padre que mire lo bien que lo has hecho, pero en ese momento ves cómo se acerca a ti una gran mosca que se posa en tu globo y lo explota.

Te sientes mal porque tu globo se ha explotado, pero se te olvida porque la mosca no deja de molestarte y de posarse en tu cara, pero como tienes las manos ocupadas con algodón dulce y una lata de refresco (sustituir por lo que le guste al niño), debes deshacerte de ella sin utilizar las manos. Primero se te posa en la nariz y tienes que arrugarla para que se vaya. Se ha ido y puedes relajarte, pero vuelve y se posa entre las cejas, por lo que tienes que fruncir el ceño muy fuerte unos momentos; aprietas, aprietas y sueltas porque se va, ya definitivamente. Entonces vuelves a respirar profundamente dos veces por el alivio que has sentido.

Luis estaba feliz porque se lo estaba pasando fenomenal, pero como estaba tan cansado su padre le sugirió tumbarse en la hierba para relajarse. Mientras estaban juntos en esta posición, oyeron cómo la gente gritaba, y cuando Luis iba a incorporarse su padre le pidió que se quedara quieto. Entonces Luis vio cómo encima de él estaba un gran elefante que se disponía a pasar; por eso tensó su tripa y la puso muy, muy dura para que el elefante no le hiciera daño. Luis estaba muy tenso viendo cómo pasaba por encima de él la pata del elefante, que finalmente se posó encima de la hierba. Entonces Luis respiró tranquilo y relajó su tripa. Pero al poco tiempo vio que el elefante se desplazaba de nuevo y subía la otra pata por encima de él, por lo que volvió a tensar fuertemente el estómago y comenzó a contar 1, 2, 3. Cuando la última pata había pasado respiró profundamente de nuevo dos veces. (Pedirle al niño que haga la respiración como ya le hemos enseñado.)

Pero cuando Luis se creía a salvo vio como un león se había escapado de la jaula y por eso tenía que meterse en la zona de los monos, pero para ello tenía que entrar por una estrecha valla haciéndose muy delgado, metiendo su estómago hacia adentro. Venga, Luis, inténtalo; mete la tripa muy fuerte hasta que casi toque tu espalda. Muy bien, ya estás dentro, ahora puedes relajarte, suéltalo y piensa en lo flojo que está y en lo bien que te sientes. Dentro de la jaula estás a gusto y te diviertes con los monos, pero cuando ya se llevan al león tienes que salir de nuevo, por lo que debes volver a atravesar la valla. Vamos, vuelve a ponerte flaco metiendo el estómago hacia adentro; vamos, lo vas a conseguir, cuenta 1, 2, 3; ya has pasado.

Pero tal y como habíais visto al venir, los nubarrones que amenazaban todo el día comienzan a dejar caer tanta agua que nos tenemos que resguardar. Cuando acaba de llover nos damos cuenta de que el agua ha formado grandes charcos de barro. Entonces el padre de Luis, que sabe lo que está pensando, le dice: vale, descálzate y pasa por los charcos. Entonces Luis se puso a caminar por los charcos, apretando y sintiendo el barro bajo sus pies. Para ello debes juntar los dedos de los pies y doblarlos apretando muy fuerte para sentir el barro. ¿Ves cómo tienes tensos los pies y las piernas? Ahora puedes relajarlos para notar lo agradable que es sentir el agua y el barro bajo tus pies. Luego vuelves a pisar fuerte para sentir de nuevo la sensación apretando fuertemente los dedos de los pies hacia delante.

Dentro del barro, y relajado, miras a tu padre, que te sonríe al ver lo feliz que estás; por eso le miras, corres hacia él y le abrazas fuertemente, notando cómo se tensan todos los músculos a la vez. Tu padre te dice que le haces daño y sueltas, sintiendo cómo todo tu cuerpo está relajado, pero notas otra vez la necesidad de abrazarle y lo haces tensando todo tu cuerpo a la vez, para luego soltar. Finalmente regresáis a casa, y por la noche sueñas con lo bien que te lo has pasado en el zoo.

Aunque yo os presento la historia seguida, tal y como veréis en las pautas generales debéis enseñar sólo uno o dos grupos musculares por día, dejando la historia incompleta para que el niño tenga interés por continuarla al día siguiente.

Pautas generales para aprender la relajación
1. Cuando se empiece a enseñar al niño la relajación, se irán ensayando progresivamente los grupos musculares a relajar, no haciéndolos todos de golpe, sino tres grupos de músculos como máximo, dependiendo de la edad del niño. El ir aumentando el número de grupos a relajar se decidirá en función de la evolución de cada niño. En ningún caso el niño debe cansarse o percibirla como aburrida o aversiva.
2. Al principio, el niño será guiado por el papá, pero es importante que al comenzar, y hasta que haya aprendido, se realice como mínimo una vez al día en casa, sobre todo antes de acostarse.

3. Cuando comencemos el entrenamiento con el niño, hay que asociar la tensión con incomodidad y malestar y decirle: «estamos tensos cuando nos enfadamos o no sabemos cómo afrontar las cosas», para que asocie la tensión con su estado personal y con diferentes emociones: miedo, ira, etc.

4. Del mismo modo asociaremos la relajación con un estado de placer y bienestar.

5. Cuando el niño ya ha dominado cada fase de tensión y distensión, se pueden ir tensando grupos a la vez para disminuir el tiempo; así podemos unir:

— Manos, antebrazos y brazos.
— Frente, nariz y mandíbula.
— Cuello, hombros y estómago.
— Las dos piernas a la vez.

6. Por último, se invitará al niño a realizar la relajación sin haber tensado los músculos previamente, porque él ya tendrá el control sobre su cuerpo. Se puede ir asociando el estado de relajación a una palabra como «calma», para que ante ese estímulo se relaje.

7. Se puede utilizar música relajante para reforzar la sensación de calma y relajación, pero no es imprescindible. Sí lo es al principio que haya silencio y tranquilidad.

8. Cuando hemos llegado a este punto podemos utilizar la relajación en imaginación, indicando por ejemplo al niño que se imagine tumbado en la playa y cómo el aire pasa por su cuerpo desde los pies a la cabeza, induciendo así el estado de relajación y bienestar que ya hemos indicado.

No obstante, hay veces que, debido al grado de activación de los niños, es muy difícil que inicialmente podamos trabajar con ellos la relajación voluntaria. De hecho, os diré que a mi hija la cuesta mucho realizarla, por lo que antes de introducir la misma he tenido que utilizar otras estrategias como el masaje corporal de cada una de las partes de su cuerpo, o las caricias corporales mientras le hablo suavemente y le cuento cosas que ha hecho o le han pasado cuando era pequeña, para que sienta la relajación muscular como base de sensación de bienestar y poder introducir luego este tipo de relajación.

A la hora de dar masajes a los niños, a mí me gusta mucho un tipo de masaje que las madres realizan a sus hijos en la India, que se llama masaje Shantala y podéis encontrar en el libro. *Shantala, un arte tradicional: el masaje de los niños,* de Frederick Leboyer, editado por Edicial. En el folleto *Piel a piel. La comunicación a través del tacto,* de Luisa Lasheras Lozano, que edita la Comunidad de Madrid, aparece un tipo de masaje muy similar al Shantala que podéis también utilizar, así como cualquier libro de masaje infantil que trabaje los segmentos corporales y lleve al niño al estado de relajación y bienestar. Recordad que el masaje se puede dar a cualquier edad; de hecho, tendemos a dejar de realizarlo en los niños cuando se van haciendo mayores, pensando que ya no tienen edad; pero yo os pregunto: ¿a quién no le gusta que le den un buen masaje?

Aunque como os he comentado es mejor empezar por una relajación del tipo tensión-distensión, hay que buscar progresivamente elicitar la tranquilidad en los niños a través de palabras que puedan generar imágenes. Todos hemos experimentado con nuestros hijos lo tranquilos que se quedan cuando les contamos un cuento por la noche o una historia inventada por nosotros en la que ellos son los protagonistas. Estas actividades, como sabéis, fomentan la relajación y la serenidad en la niños, pero si queréis algo más formal os invito a leer los libros de Maureen Garth, *Luz de estrellas y Rayo de luna. Meditaciones para niños,* con los que se trabaja de una forma muy bonita la meditación a través de visualizaciones para niños de a partir de tres o cuatro años. Yo los he utilizado con mis hijos y os lo recomiendo, porque además los cuentos que utiliza favorecen la creatividad y la concentración.

2. Autocontrol corporal

Recordad que muchos niños, aunque saben qué deben hacer y cómo, cuando se encuentran en la situación actúan de manera automática. Por eso es necesario que el niño aprenda a inhibir sus conductas utilizando técnicas que le permitan controlar su acción, hecho que le posibilitará el desarrollo de un adecuado autoconocimiento y control de su propia conducta, siendo capaz de inhibir comportamientos automáticos agresivos como el pegar.

Para favorecer el autocontrol hay que hacer sobre todo juegos que impliquen el movimiento y la parada del mismo posteriormente, así como la incitación a la inmovilidad. De este modo trabajamos de manera indirecta el control corporal, preciso en situaciones de activación fisiológica y corporal que surgen ante la ira.

Juegos y actividades
Juegos de las estatuas
Pedid a los niños que se muevan al ritmo de la música o de un pandero; cuando éste pare deberán quedarse como estatuas en la posición que estén.
Un, dos, tres, al escondite inglés
Un niño se sitúa frente a la pared, mientras sus compañeros se disponen a unos veinte pasos de él. El objetivo del juego es que los niños lleguen a la pared y den con la mano para salvarse. Para ello, el niño que se la «liga» mira a la pared, y mientras dice: «un, dos, tres, al escondite inglés sin mover las manos ni los pies», el resto avanzan hasta él. Cuando el niño que se la liga se vuelve si ve a alguno moverse, éste tendrá que empezar de nuevo el juego.
Juegos de inmovilidad
Miraos fijamente a los ojos y ved quién aguanta más sin reírse.
Permaneced quietos en una posición: sentados, de pie, a la pata coja, con el brazo en alto, etc., y contad o cronometrad cuánto aguantan.
El robot a cámara lenta
Pedid al niño que se mueva como un robot muy lentamente, fijándose en los movimientos que hace.

Juegos y actividades
Juegos comerciales que fomentan el autocontrol
Hangel speed. Mikado Sticks. Villa Paleti. Monos Locos.
Cuento
Porque no puedo colarme. Olga Alaman y Clara Roca. Editorial Destino. Para trabajar la autorregulación comportamental.

3. Autocontrol emocional

Como ya he comentado, el pensamiento suele ser anterior a la acción, aunque hay comportamientos que, por su automatismo, muchas veces no pasan por nuestra conciencia, ya que los realizamos de forma refleja, como cuando retiramos la mano cuando nos han pinchado. Para trabajar la inhibición de la actuación ya hemos visto qué tenemos que hacer, y también sabemos cómo enseñar a nuestro hijo a modificar sus pensamientos y a resolver los problemas de otra forma. Cuando ya hemos trabajado esos aspectos por separado debemos unirlos para posibilitar al niño la realización de un proceso secuencial que le permita responder eficazmente al entorno.

Existe una técnica que combina estos factores, y que se ha visto muy eficaz en los niños con agresividad. Es la Técnica de la tortuga, que incluye el modelado, el autocontrol, la relajación y el entrenamiento en solución de problemas como forma de modificar la respuesta expansiva. Se puede utilizar sólo con un niño o con varios.

Fases de la técnica de la tortuga
PRIMERA FASE: Tenéis que contar al niño el cuento de la tortuga experta (que aparece a continuación) que ayuda a otra a resolver situaciones difíciles: 1.- Se metía en el caparazón (posición de tortuga). (Autocontrol) 2.- Respiraba profundamente. (Relajación) 3.- Empleaba la resolución de problemas. (Resolución de problemas) 4.- Actúa.
SEGUNDA FASE: Enseñamos al niño a relajarse mediante ejercicios de tensión distensión como hemos visto ya.
TERCERA FASE: Fomentamos el entrenamiento en resolución de problemas, tal y como ya hemos indicado.
CUARTA FASE: Se lo contamos a otros adultos que estén con él, como abuelos, tíos o profesores, para conseguir la generalización.

Se le cuenta al niño el cuento sobre la tortuga, adaptándolo a las dificultades que presenta para que la historia se parezca lo más posible a su problemática.

El cuento que aporta la técnica es el siguiente:

Érase una vez una tortuga de seis años de edad que había comenzado a ir al colegio. Había muchas cosas que le enfadaban, y ella se ponía a gritar y patalear. Le molestaba especialmente vestirse sola, desayunar y salir al colegio, y siempre protestaba y se enfadaba. Luego, cuando lo pensaba, se sentía muy mal por haberse portado así. La tortuguita sólo quería correr, jugar a la consola o pintar en su cuaderno de dibujo con sus lápices de colores. Le gustaba hacer las cosas a su forma, y por eso no le gustaba que sus padres le dijeran qué debía hacer; a veces en clase se entretenía mucho hablando y no terminaba los trabajos; otras veces no quería trabajar con los otros niños, y si jugaba con ellos y no hacían lo que ella quería se enfadaba y les pegaba. Todos los días pensaba que no quería portarse así, pero siempre se enfadaba por algo y rompía cosas de los demás o se peleaba con ellos. Luego siempre se sentía mal.

Un día, cuando volvía a casa muy triste, se encontró con una tortuga muy, muy vieja que le dijo que tenía 200 años. La tortuga le preguntó qué le pasaba y la tortuguita se lo contó. Entonces la tortuga le dijo: «Voy a contarte un secreto: yo sé como puedes conseguir controlar tu mal genio. ¿Sabes?, cuando se es pequeño es fácil enfadarse y hacer las cosas que haces tú, pero tú puedes controlarte. ¿No comprendes que tú llevas sobre ti la respuesta a tus problemas?». La tortuguita no sabía de qué le hablaba. Entonces la tortuga le dijo: «¡Sí, en tu caparazón! Para eso tienes una coraza. Puedes esconderte en el interior de tu concha; dispondrás de un tiempo de reposo y pensarás qué es lo que debes hacer. Así que la próxima vez que te enfades mucho, métete en enseguida en tu caparazón, y piensa qué debes hacer en vez de pegar, gritar o tirarte al suelo».

Al día siguiente, cuando una compañera se rió de su dibujo y vio que iba a perder el control, recordó lo que le había dicho la tortuga vieja. Encogió sus brazos, piernas y cabeza y los apretó contra su cuerpo y permaneció quieta hasta que supo qué debía hacer. Tenía que decirle a su compañera sin alterarse: «Yo creo que mi dibujo no está tan mal». Cuando salió de su concha y contestó a su compañera, vio cómo su maestra le miraba sonriente y le decía que estaba orgullosa de ella. Cuando llegó a casa su mamá le pidió que colgara su abrigo en la percha; se empezó a enfadar porque quería jugar, pero recordó lo que debía hacer y lo hizo; encogió sus brazos, piernas y cabeza, y los apretó contra su cuerpo; luego le dijo: «Sí mama, ahora mismo»; su mamá se puso muy contenta y le preparó su bocadillo favorito, que se comió mientras jugaba. Tortuguita siguió aplicando la técnica y su comportamiento cambió; ahora era mucho más feliz, porque sabía controlarse y todos le admiraban y se preguntaban maravillados cuál sería su secreto mágico.

Después de contar el cuento al niño se hacen ensayos para que ante la palabra «tortuga», u otra que se elija («para», «stop») pegue sus brazos al cuerpo y baje la cabeza al tiempo que la mete entre los hombros, igual que hace la tortuga en su caparazón. Cuando son más mayores les pedimos que pongan rígido el cuerpo, y en algunos casos simplemente que se queden parados, sobre todo en situaciones sociales para no llamar la atención. Se puede practicar con el niño, diciéndole distintas situaciones simuladas o imaginarias, y tendrá que practicar cuando aparezcan aquellas que le generan frustración y ante las que se enfada.

Luego seguiremos el proceso que aparece en el cuadro resumen de la técnica, teniendo presente todo lo que ya sabemos.

Cuentos
La tortuga Viky y su modo de resolver los problemas. M.ª Victoria Herreros. Octaedro. Barcelona 2003. *Dina, la rana.* M.ª Victoria Herreros. Octaedro. Barcelona. En los dos libros aparecen estrategias de autocontrol de la conducta, así como de resolución de problemas y respuesta asertiva.

10. Fomentar una autoestima positiva

Una de las variables más significativas para la adaptación social y el éxito en la vida es tener una autoestima positiva, es decir, saberse y sentirse competente en diferentes aspectos.

Se suele definir la autoestima como la valoración que hacemos de nosotros mismos. Por tanto, la misma puede ser positiva o negativa, según los aspectos que tomemos como referencia y el grado de eficacia que apreciemos que tenemos en los mismos.

No obstante, la autoestima no es algo estático, sino que se va configurando y construyendo a medida que vamos creciendo, según la información que otros nos dan y la que nosotros obtenemos cuando nos valoramos comparándonos con los demás, o con nuestro propio nivel. Por eso la autoestima se compone de aspectos cognitivos (lo que pensamos sobre nosotros), de aspectos afectivos (lo que sentimos sobre nosotros) y conductuales (lo que hacemos). A su vez, estos aspectos nos llevan al autoconcepto («soy malo porque siempre pego a los otros») y a la autoimagen: («me veo el peor de la clase: discuto, regaño y me porto mal»). Al tener un autoconcepto y autoimagen negativa, el niño va a hacer una valoración negativa de sí mismo y por tanto va a tener una baja autoestima.

La autoestima negativa es muy frecuente en los niños que siempre están siendo regañados por su mal comportamiento, lo que les genera a su vez ira y les lleva a exacerbar estos comportamientos. Todas las percepciones que tiene el niño sobre sí mismo y lo que los demás piensan y opinan sobre él suele constituirse en una actitud hacia sí mismo, lo que lleva al niño a comportarse de la forma en que se espera que lo haga, proyectándola en todos los planos de su vida. De este modo, el niño que ha sido etiquetado de «agresivo» se siente mal consigo mismo y refleja este malestar en los demás a través de las conductas negativas por las que suele ser recriminado. Por el contrario, el niño que es reforzado por lo bien que hace las cosas gestará una autoestima positiva, manifestando a los demás comportamientos positivos que le hacen sentirse bien consigo mismo y con el entorno.

Si el niño percibe que el padre es cercano, acogedor y valorativo, va a introyectar formas de establecer relaciones interpersonales con estas características. Se ha comprobado que existe una relación circular. Si **el niño tiene una buena autoestima** se comportará de forma agradable y será cooperador, responsable y asertivo, lo que favorecerá las relaciones correctas y la creación de un buen ambiente. Esto a la vez es reforzante y estimulante para sus padres, que le posibilitarán retroalimentación positiva, lo que hará que el niño se comporte mejor; y así sucesivamente, generándose un circuito de retroalimentación positivo.

Por el contrario, **si su autoestima es baja** se pondrá agresivo e irritable, y se mostrará poco cooperador y responsable. En esta situación, como hemos visto, es altamente probable que el educador tienda a asumir una postura más crítica y de rechazo frente al niño, quien, a su vez, se pondrá más negativo y desafiante, creándose así un circuito de retroalimentación negativo.

Después de leer esto no os costará deducir lo importante que es la figura de los adultos de referencia para fomentar una autoestima positiva en los niños. De hecho, todos tenemos grabado a fuego aquellas situaciones en el que el profesor o nuestros padres nos han dejado en ridículo o criticado y recriminado lo malos o tontos que somos, y cómo esas situaciones acaban convirtiéndose en situaciones estresantes que llenan nuestra cabeza de pensamientos del tipo: «nunca podré ser capaz de hacerlo bien» o «soy el peor de mi clase». De ahí la importancia de evitar los mensajes globales y aprender a utilizar los mensajes en segunda persona, tal y como ya hemos visto.

La interacción entre el niño y el adulto va a determinar la percepción que el niño tenga sobre sí mismo, y por tanto su autoimagen y autoconcepto, condicionando de este modo su comportamiento. De este modo, si el niño es enseñado por un adulto tolerante que le refuerza por el esfuerzo y la consecución de objetivos, le está dando información positiva sobre sí mismo y sus actuaciones, factores que se reflejan en los niños en forma de cooperación, responsabilidad y respuestas adaptadas que facilitan la integración personal, social y escolar del niño. Por el contrario, el niño que es criticado, regañado y censurado constantemente construye una baja autoestima, y ésta se reflejará en un carácter irritable y reactivo hacia el entorno.

Pero esto no es siempre así. De hecho, muchos padres me informan de que su hijo tiene baja autoestima a pesar de que le refuerzan constantemente. Este hecho también lo vivo yo con uno de mis hijos, y cuando he investigado para detectar el porqué, he comprobado que hay veces que la información que los adultos damos no es suficiente, sobre todo cuando el niño establece su comparación por ejemplo con un hermano mayor brillante o con el mejor compañero de la clase. Esta valoración se establece en base a datos objetivos y experiencias vitales vividas, lo que termina configurando expectativas sobre la propia valía que en ocasiones lleva a los niños a sobrevalorar lo que no les sale, infravalorando otras capacidades positivas que poseen. De ahí que sea fundamental el que favorezcamos en los niños una autoevaluación desde su propio nivel, intentando no establecer comparaciones con los otros. La autoestima positiva repercute positivamente tanto en la salud emocional como física de los niños; además, ayuda a interpretar las cosas que nos pasan desde una perspectiva positiva, y ayuda al niño a afrontar las tareas de su vida con ánimo, ya que se sentirá capaz, fomentando la confianza en sí mismo; por eso se relacionará de manera positiva, ya que tendrá seguridad en sus posibilidades.

Como ya hemos visto, uno de los rasgos distintivos de la naturaleza humana es la posibilidad de ser consciente de sí mismo. A través de la adquisición de la conciencia de sí, construimos nuestra identidad personal que nos permite diferenciarnos de los otros, estableciendo relaciones interpersonales que serán más positivas y adaptativas cuanto más positiva sea nuestra autoestima.

La autoestima, al igual que las emociones, se refleja en tres planos del comportamiento: los pensamientos que tenemos, los sentimientos que experimentamos y las cosas que hacemos.

Niños con alta y baja autoestima	
Autoestima positiva	**Autoestima negativa**
Lo que piensa	
• Sus *pensamientos son positivos* y hace una valoración positiva de sus ejecuciones: «esto me va a salir muy bien», «soy estupendo».	• Sus *pensamientos son negativos* y en muchos casos globales: «no voy a ser capaz», «soy malo y nunca tendré amigos», «nadie me quiere», etc.
Lo que siente	
• Se siente *orgulloso* de las cosas que consigue o intenta conseguir. • Se sabe *capaz* de modificar lo que le rodea, aporta su punto de vista y defiende sus opiniones. • Se siente «*feliz* de ser como es». • Siente *satisfacción* por lo que hace.	• Se siente *frustrado* por no conseguir lo que desea. • Se valora incapaz de actuar y modificar el entorno, ya que los demás no le tienen en cuenta. • Se siente infeliz de ser como es. • Se siente *insatisfecho* de las cosas que hace y cómo las hace.
Lo que hace	
• *Actúa con independencia,* autorregulando su conducta y con iniciativa para emprender cosas. • *Afronta nuevos retos con entusiasmo,* ya que confía en sí mismo y sus posibilidades.	• *Actúa evitando* las situaciones que le provocan ansiedad o miedo porque se pone en juego su ejecución. • Necesita que los *demás le digan* cómo debe actuar y qué debe hacer.

Ahora os propongo completar el cuadro que aparece a continuación siguiendo el ejemplo.

Completa el siguiente cuadro según lo que observas en tu hijo	
Autoestima positiva	**Autoestima negativa**
Lo que piensa	
«Estoy deseando ir a la fiesta para jugar con mis amigos»	«Nadie quiere jugar conmigo, porque soy malo. Son idiotas»
Lo que siente	
«Felicidad y alegría»	«Ira y rechazo»
Lo que hace	
«Va a la fiesta y juega con todos»	«Se dirige a los niños y les destroza el castillo que están haciendo»

Al igual que en el caso de la agresividad, los padres también somos modelos de autoestima. De hecho, se ha encontrado una estrecha relación entre la autoestima de los padres y educadores y la autoestima de los niños, pues un padre con una buena autoestima suele ser reforzante, por lo que da más seguridad a los niños, ya que suelen estar satisfechos de sus actuaciones, desarrollando así un clima emocional más positivo en el que los niños se muestran más contentos. Por el contrario, el padre con baja autoestima tiende a tener miedo de perder autoridad, y usa una disciplina mucho más represiva y a veces inconsistente, lo que produce, tal y como ya hemos visto, niños más inseguros, tensos e irritables, que dependen del control que el adulto ejerce sobre ellos.

Por otro lado, no olvidéis que si el padre como modelo verbaliza en voz alta «soy tonto» o «nunca me saldrá bien esto», está enseñando a los niños que estos pensamientos son válidos y el niño tenderá a repetirlos. Yo suelo atajar de manera inmediata estos pensamientos en mis hijos, y les hago ver que cuando algo no les sale bien no es porque sean tontos o no puedan, y les enseño la verbalización correcta, insistiendo en que esos pensamientos no son positivos para nosotros porque nos definen globalmente como no somos. Trabajar este aspecto con los niños no suele caer en saco roto, y suelen aprenderlo fácilmente. Os digo esto porque cuando a mí se me escapa alguna vez «qué tonta estoy», cuando se me ha olvidado algo, mi hija me suele decir: «mamá, no eres tonta, a todos se nos puede olvidar algo alguna vez», y mi hijo me recuerda «¿no nos dices que no debemos definirnos así?».

Por eso es importante que, al igual que en la emoción hemos establecido la relación ***pensamiento-sentimiento-actuación***, lo hagáis cuando detectéis baja autoestima, para que modificando los que estén alterados consigáis generar una autoestima positiva.

¿Cómo podemos fomentar una autoestima positiva en nuestros hijos? La respuesta es fácil si habéis seguido y aplicado correctamente las pautas que os he dado, ya que:

— Habréis logrado reforzar a vuestro hijo por los comportamientos correctos, estableciendo una valoración positiva en él, y un sentimiento de satisfacción y eficacia al haber experimentado el éxito.
— Tendréis un hogar en el que se fijan normas coherentes, lógicas y razonadas en las que vuestro hijo ha participado, haciéndole sentirse un miembro importante de la familia, con el que se cuenta y que puede influir en lo que ocurre a su alrededor, posibilitándole seguridad en sí mismo.
— Basaréis las relaciones en una comunicación asertiva donde todos pueden expresar lo que piensan y sienten porque saben hacerlo sin perder sus derechos ni herir a los otros.

— Vuestro hijo habrá aumentado su autonomía y responsabilidad, lo que le posibilitará un autoconcepto positivo al verse como alguien válido y capaz.

Puntos para nuestra reflexión

- ¿Tengo yo una autoestima alta o baja? ¿Qué creo que ha influido en ello?
- Qué información le doy a mi hijo sobre:
  - — Cómo es él.
  - — Qué pienso de él.
  - — Qué me hace sentir.
- ¿Cuántas veces le digo a mi hijo lo bien que ha hecho algo, lo bien que ha estado, etc.? Escribe ejemplos y cuantifica dando un número.
- ¿Cuántas veces le reprocho a mi hijo su conducta o comportamiento? Escribe ejemplos y cuantifícalo.

Verbalizaciones positivas	Verbalizaciones negativas

- Haz una lista de cualidades y factores positivos y negativos que tiene vuestro hijo. ¿Cuáles te han resultado más fáciles? Si han sido las negativas, reflexiona sobre la información que le das.
- Formula objetivos a trabajar para aumentar la autoestima de vuestro hijo.

Cuentos

Las hadas nos hablan de la autoestima. R. Curto y A. Cabrera. Susaeta. En este cuento se abordan las diferencias individuales y ayuda a los niños a descubrir que las diferencias pueden ser a veces algo positivo. También les explica a los niños qué es la autoestima.

Nadie es perfecto. Mario Gomboli. Bruño. Ayuda a los niños a percibir las diferencias como algo que se debe respetar en los otros, y que la diferencia no nos hace peores sino diferentes.

Había una vez una tortuga. Ángeles Paéz López. Editorial CEPE. Para trabajar la mejora de la conducta en los niños, favoreciendo el desarrollo de la autoestima.

El fantasma blanco. Violeta Monreal. Anaya Infantil y Juvenil. 2003. Este cuento trabaja la autoestima y ayuda a los niños a descubrir que, aunque todos te señalen por ser diferente, cada persona tiene algo positivo que ofrecer, que cuando se descubre hace que el mundo sea mejor.

12 Consideraciones finales

Desde mi experiencia os diré que merece la pena trabajar con los niños, porque son muy inteligentes y cuando se comportan mal no son felices, y esa infelicidad y malestar les produce más ira. El no saber canalizar la ira, y no saber romper el círculo vicioso que se crea, conduce muchas veces a situaciones familiares enquistadas difíciles de manejar.

Es importante, tal y como hemos visto, que los niños:

1. Sepan identificar cuándo están enfadados.
2. Digan al entorno «estoy enfadado».
3. Establezcan una relación directa entre su enfado y su causa, para que aprendan a manejar la situación sin alterarse.
4. Aprendan poco a poco a solucionar sus conflictos a través del lenguaje y de una manera asertiva.
5. Desarrollen la empatía para saber lo que otros sienten y así poder autorregular su conducta poniéndose en el lugar del otro.
6. Aprendan a identificar la tensión corporal y a disminuirla poco a poco a través de la relajación.
7. Adquieran un adecuado sistema de percepción y reflexión posterior, que favorezca una actuación eficaz.

8. Tengan una autoestima positiva, lo cual va a ser una vacuna para que la agresividad no se produzca.

Y por otro lado, también es fundamental que los padres:

1. Tomen conciencia de su importancia como modelos de actuación.
2. Mantengan el control y sepan gestionar su propia ira, para ser eficaces a la hora de intervenir en los niños favoreciendo una expresión emocional positiva.
3. Eduquen en la afirmación y lo positivo a través de los límites y el refuerzo, para facilitar el aprendizaje sin juzgar ni infravalorar a los niños, factores que condicionan la autoestima.
4. Equilibren el nivel de exigencias con las características y capacidades del niño, para favorecer el ajuste del mismo, posibilitándole un adecuado desarrollo de la tolerancia a la frustración y evitando una excesiva exigencia que genere ira porque el niño no se sienta capaz de responder a las demandas del entorno.
5. Se comuniquen asertivamente, posibilitando la libre expresión en el hogar, ya que practican la escucha activa y consideran importante lo que cada miembro de la familia puede aportar.

Si como adultos y padres conseguimos manejar nuestra ira y ayudamos a nuestros hijos a canalizarla adecuadamente, conseguiremos establecer un clima positivo en el hogar donde las relaciones interpersonales serán positivas, pudiendo extender este tipo de modelo a las personas que están a nuestro alrededor, favoreciendo y potenciando a través de nuestro granito de arena que el mundo sea mejor.

Bibliografía para padres

Barudy, J. y Dantagman, M. (2005). *Los buenos tratos a la infancia Parentalidad, apego y resilencia.* Barcelona: Gedisa.

Baum, H. (2003). *¡Mamá siempre me está molestando!* Madrid: ONIRO

Bornas, X. (1994). *La autonomía personal en la infancia,* Madrid: Siglo XXI.

Bornas, X. y Servera, M. (1996). *La impulsividad infantil (un enfoque cognitivo-conductual).* Madrid: Siglo XXI.

Buela-Casal, G., Carretero-Dios, H. y De los Santos-Roig, M. (2001). *El niño impulsivo* Madrid: Pirámide.

Cerezo, F. (1997). *Conductas agresivas en la edad escolar aproximación teórica y metodológica*. Madrid: Pirámide.

Eguia, J. (1998). *Como ayudar a solucionar los problemas de sus hijos* Madrid: EOS.

Goleman, D. (1999). *Educar con inteligencia emocional.* Barcelona: Plaza y Janés.

Faber, A. (2007). *Cómo hablar para que sus hijos le escuchen y cómo escuchar para que sus hijos le hablen*. Barcelona: Medici.

Feldman, J. R. (2005). *Autoestima. ¿Cómo desarrollarla?* Madrid: Nancea.

Heineman, P. (2001). *Niños felices.* Barcelona: DeBolsillo.

Johnson, S. (2004). *¿Quién se ha llevado mi queso?* Barcelona: Urano.

Juez, M. A. (2003). *Decir NO a los hijos*. Madrid: Síntesis

Larroy, C. y De la Puente, M. L. (1997). *El niño desobediente* Madrid: Pirámide.

Moraleda, M. (1995). *Comportamientos sociales hábiles en la infancia y adolescencia*. Madrid: Promolibro.

Muñoz, M. (2008). *Inteligencia emocional y pensamiento positivo.* Madrid: Libro Hobby Club.

Nadeau, M. (2001). *24 Juegos de relajación para niños de 5 a 12 años*. Barcelona: Sirio.

Nitsch, C. y Schelling, C. (2003). *Límites a los niños. Cuándo y cómo*. Barcelona: Medici.

Pope, A., Mc Hale, S. y Craighead, E. (2003). *Mejora de la autoestima (técnica para niños y adolescentes)*. Madrid: Manuales Prácticos.

Ortigosa, J. M. (1999). *El niño celoso*. Madrid: Pirámide.

Purves, L. (1994). *Cómo no ser una madre perfecta*. Madrid: Altaza.

Samalin, N. (2003). *Con el cariño no basta. Cómo educar con eficacia*. Barcelona: Medici.

Schaefer, Ch. (1997). *Enseñe a su hijo a comportarse.* Buenos Aires: Vergara Bolsillo.

Segura, M. y Arcas, M. (2003). *Educar las emociones y los sentimientos.* Madrid: Nancea.

Shapiro, L. (1997). *La inteligencia emocional de los niños.* Bilbao: Grupo Zeta.

Steffens, Ch., y Gorin, S. (1999). *Cómo fomentar las actitudes de convivencia a través del juego.* Barcelona: CEAC.

Tierno, B. (1996). *Ser buenos padres.* Madrid: San Pablo.

Vallés, A. (1998). *Como desarrollar la autoestima de los hijos.* Madrid: EOS.

Wyckoff, J. y Unell, B. *Educar con mucha paciencia.* Madrid: Alfaguara.

14 Libros para leer a los niños

- *El imaginario de los sentimientos de Félix*. Levy- Turrier SM.
- *Bugabús Sorpresa. Sentimientos.* Jilly Macleod. Timun Mas.
- *El abecedario de los sentimientos. Hay un sentimiento por cada letra del abecedario.* Violeta Monreal y Oscar Muinelo. Ediciones Gaviota.
- *Cuando estoy enfadado*. Morones. Ediciones SM.
- *Cuando me enfado.* Michaelene Mundy. Ed: San Pablo.
- *Rebeca la rebelde*. Colección Mini Monstruos. Tony Garth. Ed. Granica.
- *DINA la rana*. M. Victoria Herreros Rodríguez. Ediciones Universitarias de Barcelona.
- *«¡Sí quiero!»*. Claudia Bielinsky, Ed. La Galera.
- *Chusco, un perro callejero.* Begoña Ibarrola. Cuentos para Sentir. Ed. SM.
- Colección Valores para niños a través de la literatura infantil. Gabriela Carrera. Editorial Cultural, S.A.
- Colección Convivir del 1-6. Pilar Álvarez y Ana Aguilar. Editorial ESIN, S.A.
- *Preparándome para ir de cumpleaños*. Carmen Sara Floriano y otros. Editorial CEPE.

- *No te desanimes*. G. Berca, L. Reixach.
- *La jirafa Timotea*. Begoña Ibarrola. Cuentos para Sentir. Ed. SM.
- *Peligro en el Mar.* Begoña Ibarrola. Cuentos para Sentir. Ed. SM.
- *La Gymkhana de las emociones*. Carmen Sara Floriano y otros. Ed. CEPE.
- *Draconilo*. Begoña Ibarrola. Cuentos para Sentir. Ed. SM.
- *Luz de estrellas y rayo de luna. Meditaciones para niños.* Maureen Garth.
- *La tortuga Viky y su modo de resolver los problemas.* M. Victoria Herreros. Ed. Octaedro. Barcelona 2003.
- *Dina, la rana.* M. Victoria Herreros. Ed. Octaedro.
- *Las hadas nos hablan de la autoestima.* R. Curto y A. Cabrera. Ed. Susaeta.
- *Nadie es perfecto*. Mario Gomboli. Ed. Bruño.
- *Había una vez una tortuga*. Ángeles Paéz López. Editorial CEPE.
- *Sara no quiere ir al colegio 3-6 años*. Cristian Lamblin, Régis Faller, Charlotte Roederer. Editorial Edelvevis.
- *Sara no quiere comer en el colegio 3-6 años*. Cristian Lamblin, Régis Faller, Charlotte Roederer. Editorial Edelvives.
- *Porque no puedo colarme.* Olga Alaman y Clara Roca. Editorial Destino.
- Colección Convivir del 1-6. Pilar Álvarez y Ana Aguilar. Editorial ESIN, S.A.
- *El osito amable.* Jillian Harper con ilustraciones de Caroline Pedler. Editorial Parragón.
- *Cuando me porto mal. Cómo ayudarte a obrar bien.* Lisa O. Engelhardt y R.W. Alley. Editorial San Pablo.
- *Mi mamá es verde, mi vecino naranja.* Carmen Sara Floriano, Fausto Giles, Isabel Orjales y Rubén Toro. Ed. CEPE.

- *Elena y el camino azul.* Carmen Sara Floriano, Fausto Giles, Isabel Orjales y Rubén Toro. Ed. CEPE.
- *Preparándome para ir de cumpleaños.* Carmen Sara Floriano, Fausto Giles, Isabel Orjales y Rubén Toro. Ed. CEPE.
- *La gymkhana de emociones.* Carmen Sara Floriano, Fausto Giles, Isabel Orjales y Rubén Toro. Ed. CEPE.

TÍTULOS PUBLICADOS

CLAVES PARA AFRONTAR LA VIDA CON UN HIJO CON TDAH. « Mi cabeza... es como si tuviera mil pies», *I. Orjales Villar.*
CLAVES PARA ENTENDER A MI HIJO ADOLESCENTE, *G. Castillo Ceballos.*
CÓMO DAR ALAS A LOS HIJOS PARA QUE VUELEN SOLOS. El niño sombra de sus padres, *F. X. Méndez Carrillo, M. Orgilés Amorós y J. P. Espada Sánchez.*
DROGAS, ¿POR QUÉ? Educar y prevenir, *D. Macià Antón.*
EL NIÑO AGRESIVO, *I. Serrano Pintado.*
EL NIÑO ANTE EL DIVORCIO, *E. Fernández Ros y C. Godoy Fernández.*
EL NIÑO CON PROBLEMAS DE SUEÑO, *J. C. Sierra, A. I. Sánchez, E. Miró y G. Buela-Casal.*
EL NIÑO HIPERACTIVO, *I. Moreno García.*
EL NIÑO MIEDOSO, *F. X. Méndez.*
ENSEÑANDO A EXPRESAR LA IRA. ¿Es una emoción positiva en la evolución de nuestros hijos?, *M.ª del P. Álvarez Sandonís.*
LA EDUCACIÓN SEXUAL DE LOS HIJOS, *F. López Sánchez.*
LA INTELIGENCIA EMOCIONAL DE LOS PADRES Y DE LOS HIJOS, *A. Vallés Arándiga.*
LOS JÓVENES Y EL ALCOHOL, *E. Becoña Iglesias y A. Calafat Far.*
LOS PADRES Y EL DEPORTE DE SUS HIJOS, *F. J. Ortín Montero.*
¿MI HIJO ES TÍMIDO?, *M.ª Inés Monjas Casares.*
MI HIJO ES ZURDO, *J. M. Ortigosa Quiles.*
MI HIJO TIENE CELOS, *J. M. Ortigosa Quiles.*
MI HIJO TIENE MANÍAS, *A. Gavino.*
MI HIJO Y LA TELEVISIÓN, *J. Bermejo Berros.*
MIS HIJOS Y TUS HIJOS. Crear una nueva familia y convivir con éxito, *S. Hayman.*
PADRES DESESPERADOS CON HIJOS ADOLESCENTES, *J. M. Fernández Millán y G. Buela-Casal.*
PADRES E HIJOS. Problemas cotidianos en la infancia, *M. Herbert.*
¿QUÉ ES LA BULIMIA? Un problema con solución, *M.ª A. Gómez, U. Castro, A. García, I. Dúo y J. Ramón Yela.*
QUEREMOS ADOPTAR UN NIÑO, *M. C. Medici Horcas*
SER PADRES. Educar y afrontar los conflictos cotidianos en la infancia, *D. Macià Antón.*
UN ADOLESCENTE EN MI VIDA, *D. Macià Antón.*